CW00538054

COLLECTION
FOLIO BILINGUE

Philip K. Dick

Minority Report

Rapport minoritaire

We Can Remember It for You Wholesale

Souvenirs à vendre

Traductions de l'américain
revues et harmonisées
par Hélène Collon

Préface de Sébastien Guillot

Gallimard

PRÉFACE

Guère reconnu dans son pays d'origine avant sa mort, l'Américain Philip Kindred Dick (1928-1982) a eu l'honneur posthume de devenir l'écrivain de science-fiction le plus adapté par Hollywood : plus d'une dizaine de ses œuvres, courtes ou romanesques, ont servi, pour le meilleur et — parfois — pour le pire, de base à des longs métrages ces vingt-cinq dernières années.

Auteur singulier, hanté par l'idée d'une réalité instable, mouvante, Dick a consacré sa carrière littéraire à explorer les frontières d'une perception humaine qu'il estimait imparfaite, trompeuse, utilisant pour ce faire la liberté formelle et thématique que lui autorisait la science-fiction — pas forcément de bonne grâce, d'ailleurs, puisqu'il rêvait d'une reconnaissance plus vaste, dans le champ de la littérature générale. Une tension qu'on retrouvera dans les adaptations cinématographiques de ses œuvres, le cinéma privilégiant souvent le côté « spectaculaire » au détri-

ment de la dimension psychologique — une constante pour ce genre littéraire.

Dick a toujours fait montre d'un intérêt certain pour le cinéma. Outre le fait que nombre de ses textes ont éveillé l'intérêt de Hollywood au fil de sa carrière, sans concrétisation de son vivant, il a lui-même rédigé le scénario d'adaptation[1] *d'un de ses plus célèbres romans,* Ubik, *en 1974. Nouvelle déconvenue — le projet est abandonné —, et aucun autre projet n'aboutira avant la sortie en 1982 de* Blade Runner, *juste après le décès du romancier.*

Chef-d'œuvre visuel autant que narratif, offrant une saisissante vision du futur teintée de film noir, cette adaptation du roman Les Androïdes rêvent-ils de moutons électriques ?[2], *envisagée dès 1968, va, sous la direction de Ridley Scott, s'imposer comme une œuvre séminale, à l'aune de laquelle sera jugé chaque nouveau film tiré des écrits de Dick. S'il diverge sensiblement de la trame narrative du texte original,* Blade Runner *parvient en effet — et plus encore dans ses versions ultérieures, le film ayant connu plusieurs montages — à retranscrire avec brio ses interrogations quant à la nature humaine ; derrière l'impressionnante chasse au répliquant qui rythme le récit, il brasse des thématiques éminemment « dickiennes » — paranoïa, identité incertaine, faux-*

1. *Ubik, le scénario.* Les Moutons électriques, 2006.
2. *Blade Runner,* J'ai lu, 1985.

semblants… Un équilibre presque miraculeux entre grand spectacle et respect de son matériau de base, équilibre qu'un succès relatif à sa sortie ne viendra guère récompenser — avec des conséquences directes sur les adaptations ultérieures, moins volontiers introspectives et davantage calibrées : il faudra attendre huit ans pour que Total Recall *sorte sur les écrans, en 1990.*

Après des années d'un parcours chaotique, au cours desquelles elle passe entre autres dans les mains de David Cronenberg, la nouvelle « Souvenirs à vendre » finit par intéresser Arnold Schwarzenegger et le Hollandais Paul Verhoeven, réalisateur de Robocop. *Au vu de l'image musclée de la star autrichienne, le scénario de l'époque est retravaillé pour privilégier l'action pure, faisant du Douglas Quail effacé de la nouvelle un héros improbable au physique de culturiste. Des perspectives guère réjouissantes, donc, pourtant transfigurées par le talent transgressif de Verhoeven, qui, l'air de rien et sous couvert d'un* blockbuster *hollywoodien, signe l'un des films les plus fidèles à l'esprit, sinon à la lettre, de Philip K. Dick. Truffé de références à l'univers romanesque de l'auteur, le film parvient à conserver ses interrogations lancinantes sur la nature de la réalité et sur l'altération, naturelle ou artificielle, de la mémoire. Si* Total Recall *propose son lot d'effets spéciaux et de scènes d'action spectaculaires, Verhoeven y a instillé en sous-texte une mise en abyme des mécanismes narratifs du* blockbuster, *forçant le spectateur à s'interroger sur la réalité même*

de l'histoire qu'on lui conte — procédé éminemment dickien.

Le succès public de Total Recall *finit d'imposer Dick comme un auteur* bankable, *au point que les projets cinématographiques s'accumulent — parmi lesquels le sous-estimé* Planète hurlante *(1996), de Christian Duguay, transposition assez réussie de « Nouveau modèle*[1] *», écrit en 1953 et consacré aux conséquences ultimes du conflit Est-Ouest. Il est même question de réaliser une suite au film de Verhoeven, qui reprendrait la trame de la nouvelle « Rapport minoritaire » dans un contexte martien. Le projet tourne finalement court... pour être repris quelques années plus tard par le duo Steven Spielberg / Tom Cruise.*

Fait rare, Minority Report *(2002) conserve le contexte historique de la nouvelle d'origine, les années 2050, réinventées afin de répondre aux enjeux thématiques de l'époque. S'il n'est pas dénué de certaines facilités intrinsèques au cinéma de Spielberg, et s'il tend à simplifier la lourde paranoïa et les vertiges spéculatifs que recèle « Rapport minoritaire », ce film a su néanmoins en garder l'essentiel — la question philosophique classique du libre-arbitre face au déterminisme — sans pour autant lui sacrifier ses qualités de film à grand spectacle. Ainsi, en plus d'une réflexion assez subtile sur le système pénal d'une société — quand la présomption d'innocence devient*

1. In *Minority Report et autres récits,* Folio SF n° 109, 2002.

présomption de culpabilité —, Minority Report *vaut pour sa représentation vraiment impressionnante de notre futur proche, hypertechnologique, hypermédiatisé (à l'instar de* Blade Runner*), hypersécurisé, hésitant entre utopie et dystopie.*

La suite est moins glorieuse, avec deux très oubliables films tirés des nouvelles « La clause de salaire[1] *»* (Paycheck, *2003) et « L'homme doré*[2] *»* (Next, *2007), qui tombent dans le piège d'une utilisation purement « décorative » des thématiques dickiennes. Deux échecs commerciaux autant qu'artistiques, par chance entrecoupés par ce qui reste sans doute la plus fidèle adaptation d'une œuvre de Philip K. Dick, son roman* Substance Mort[3], *dans lequel il transposait dans un cadre à peine science-fictif sa propre expérience de la drogue. Formellement audacieux — un procédé numérique « redessine » les acteurs pour donner vie à leurs délires —, crépusculaire,* A Scanner Darkly *(2006) porte brillamment à l'écran l'essence même des écrits de Dick. De bon augure pour les futurs* Radio Libre Albemuth[4] *et — enfin —* Ubik, *deux textes parmi les plus représentatifs des abîmes dans lesquels cet auteur entraîne son lecteur…*

Sébastien Guillot

1. In *Paycheck,* Folio SF n° 164, 2004.
2. In *Nouvelles,* tome 1, Denoël « Lunes d'encre », 2000.
3. Folio SF n° 25.
4. Folio SF n° 237.

Minority Report
Rapport minoritaire

We Can Remember It for You Wholesale
Souvenirs à vendre

Minority Report

Rapport minoritaire

I

The first thought Anderton had when he saw the young man was : *I'm getting bald. Bald and fat and old.* But he didn't say it aloud. Instead, he pushed back his chair, got to his feet, and came resolutely around the side of his desk, his right hand rigidly extended. Smiling with forced amiability, he shook hands with the young man.

"Witwer?" he asked, managing to make this query sound gracious.

"That's right," the young man said. "But the name's Ed to you, of course. That is, if you share my dislike for needless formality." The look on his blond, overly-confident face showed that he considered the matter settled. It would be Ed and John : Everything would be agreeably cooperative right from the start.

I

Lorsque Anderton vit le jeune homme, sa première pensée fut : *Je deviens chauve. Chauve, gros et vieux.* Mais il ne le dit pas à haute voix. Au lieu de cela, il repoussa son fauteuil, se mit sur pied et fit résolument le tour de son bureau, le bras tendu avec une certaine raideur. Souriant avec une affabilité forcée, il serra la main du jeune homme.

« Witwer ? s'enquit-il en parvenant à introduire un semblant d'aménité dans sa voix.

— C'est cela, répondit l'autre. Mais pour vous, bien entendu, ce sera Ed. Du moins si vous partagez mon peu de goût pour le formalisme superflu. » À son air sûr de lui, on voyait bien que le jeune homme blond considérait la question comme réglée. Ils s'appelleraient donc par leurs prénoms ; entre eux, la coopération serait amicale dès le début.

"Did you have much trouble finding the building?" Anderton asked guardedly, ignoring the too-friendly overture. *Good God, he had to hold on to something.* Fear touched him and he began to sweat. Witwer was moving around the office as if he already owned it — as if he were measuring it for size. Couldn't he wait a couple of days — a decent interval?

"No trouble," Witwer answered blithely, his hands in his pockets. Eagerly, he examined the voluminous files that lined the wall. "I'm not coming into your agency blind, you understand. I have quite a few ideas of my own about the way Precrime is run."

Shakily, Anderton lit his pipe. "How is it run? I should like to know."

"Not badly," Witwer said. "In fact, quite well."

Anderton regarded him steadily. "Is that your private opinion? Or is it just cant?"

Witwer met his gaze guilelessly. "Private and public. The Senate's pleased with your work. In fact, they're enthusiastic." He added, "As enthusiastic as very old men can be."

« Vous n'avez pas eu trop de mal à trouver le bâtiment ? » interrogea Anderton en restant sur ses gardes, bien décidé à ne tenir aucun compte de cette entrée en matière par trop familière. *Bon sang, il fallait qu'il se raccroche à quelque chose !* La panique l'effleura et il se mit à transpirer. Witwer arpentait le bureau comme si c'était déjà le sien… comme pour voir si ses dimensions lui convenaient. Ne pouvait-il attendre un ou deux jours… un laps de temps décent ?

« Aucun mal », répondit Witwer, guilleret, les mains dans les poches. Il examina avidement les dossiers volumineux qui tapissaient les murs. « Je n'arrive pas chez vous comme ça, à l'aveuglette, vous savez. J'ai quelques idées personnelles sur la façon dont fonctionne Précrime. »

Anderton alluma sa pipe d'une main mal assurée. « Et comment fonctionne donc Précrime ? J'aimerais bien le savoir.

— Pas mal du tout, dit Witwer. Et même fort bien, en fait. »

Anderton le regarda droit dans les yeux. « C'est votre opinion à vous ? Ou cherchez-vous simplement à me faire plaisir ? »

Witwer soutint innocemment son regard. « C'est mon opinion personnelle, mais aussi l'opinion générale. Le Sénat est très satisfait de votre œuvre. Ses membres sont même enthousiastes. » Il ajouta : « Aussi enthousiastes qu'on peut l'être à leur âge avancé. »

Anderton winced, but outwardly he remained impassive. It cost him an effort, though. He wondered what Witwer *really* thought. What was actually going on in that closecropped skull? The young man's eyes were blue, bright — and disturbingly clever. Witwer was nobody's fool. And obviously he had a great deal of ambition.

"As I understand it," Anderton said cautiously, "you're going to be my assistant until I retire."

"That's my understanding, too," the other replied, without an instant's hesitation.

"Which may be this year, or next year — or ten years from now." The pipe in Anderton's hand trembled. "I'm under no compulsion to retire. I founded Precrime and I can stay on here as long as I want. It's purely *my* decision."

Witwer nodded, his expression still guileless. "Of course."

With an effort, Anderton cooled down a trifle. "I merely wanted to get things straight."

"From the start," Witwer agreed. "You're the boss. What you say goes." With every evidence of sincerity, he asked: "Would you care to show me the organization? I'd like to familiarize myself with the general routine as soon as possible."

Anderton accusa le coup mais, extérieurement, parvint à rester impassible — non sans effort. Il se demanda ce que Witwer pensait *réellement.* Que se passait-il sous ce crâne aux cheveux ras ? Les yeux du jeune homme étaient bleus, vifs… et dangereusement intelligents. Non, décidément, Witwer ne devait pas s'en laisser conter. Et il était manifestement très ambitieux.

« D'après ce que j'ai cru comprendre, reprit prudemment Anderton, vous allez être mon assistant jusqu'à ce que je prenne ma retraite.

— C'est ce que j'ai compris aussi, répondit Witwer sans l'ombre d'une hésitation.

— Ce qui peut se produire cette année, l'an prochain… ou bien dans dix ans. » La pipe tremblait dans la main d'Anderton. « Je ne suis nullement obligé de partir. C'est moi qui ai fondé Précrime et je peux rester en poste aussi longtemps que je le désirerai. La décision n'appartient qu'à *moi* seul. »

Witwer hocha la tête, toujours avec la même candeur. « Bien entendu. »

Anderton s'efforça de se maîtriser. « Je voulais simplement que les choses soient bien claires.

— Dès le départ, acquiesça Witwer. Vous êtes le patron, c'est vous qui commandez. » Avec une apparence de totale sincérité, il poursuivit : « Voulez-vous me faire visiter ? J'aimerais me familiariser dès que possible avec le fonctionnement global de votre organisation. »

As they walked along the busy, yellow-lit tiers of offices, Anderton said: "You're acquainted with the theory of precrime, of course. I presume we can take that for granted."

"I have the information publicly available," Witwer replied. "With the aid of your precog mutants, you've boldly and successfully abolished the postcrime punitive system of jails and fines. As we all realize, punishment was never much of a deterrent, and could scarcely have afforded comfort to a victim already dead."

They had come to the descent lift. As it carried them swiftly downward, Anderton said: "You've probably grasped the basic legalistic drawback to precrime methodology. We're taking in individuals who have broken no law."

"But they surely will," Witwer affirmed with conviction.

"Happily they *don't* — because wet get them first, before they can commit an act of violence. So the commission of the crime itself is absolute metaphysics.

Tandis qu'ils longeaient les enfilades de bureaux éclairés et résonnant d'activité, Anderton déclara : « Naturellement, le postulat fondamental de Précrime ne vous est pas inconnu ? Je présume que nous pouvons partir de ce principe.

— Je ne sais que ce qui est à la disposition du public, répondit Witwer. Avec l'aide de vos mutants précogs, vous avez audacieusement et efficacement aboli le système punitif post-crime fondé sur l'emprisonnement et l'amende. Comme nous le savons tous, la perspective du châtiment n'a jamais été très dissuasive ; quant aux victimes, une fois mortes elles n'en retiraient guère de réconfort. »

Ils étaient arrivés devant l'ascenseur. Tandis que la cabine les emportait à toute allure dans les profondeurs du bâtiment, Anderton reprit : « L'inconvénient fondamental, du point de vue juridique, inhérent à la méthodologie de Précrime ne vous a probablement pas échappé non plus. Nous arrêtons des individus qui n'ont nullement enfreint la loi.

— Mais qui vont le faire, affirma Witwer avec conviction.

— Justement, non, par bonheur... puisque nous les arrêtons avant qu'ils puissent commettre un quelconque acte de violence. Donc, l'acte criminel proprement dit ne relève strictement que de la métaphysique.

We claim they're culpable. They, on the other hand, eternally claim they're innocent. And, in a sense, they *are* innocent."

The lift let them out, and they again paced down a yellow corridor. "In our society we have no major crimes," Anderton went on, "but we do have a detention camp full of would-be criminals."

Doors opened and closed, and they were in the analytical wing. Ahead of them rose impressive banks of equipment — the data-receptors, and the computing mechanisms that studied and restructured the incoming material. And beyond the machinery sat the three precogs, almost lost to view in the maze of wiring.

"There they are," Anderton said dryly. "What do you think of them?"

In the gloomy half-darkness the three idiots sat babbling. Every incoherent utterance, every random syllable, was analysed, compared, reassembled in the form of visual symbols, transcribed on conventional punchcards, and ejected into various coded slots. All day long the idiots babbled, imprisoned in their special high-backed chairs, held in one rigid position by metal bands, and bundles of wiring, clamps.

C'est nous qui proclamons ces gens coupables. Eux se prétendent éternellement innocents. Et en un sens, ils *sont* innocents. »

Quittant l'ascenseur, ils empruntèrent à nouveau un couloir éclairé par une lumière jaune. « Notre société ne connaît plus le crime grave, poursuivit Anderton, mais nous avons tout de même un camp de détention peuplé de criminels potentiels. »

Ils franchirent une série de portes et se retrouvèrent dans le bâtiment d'analyse. Devant eux se dressaient d'imposants entassements de machines — récepteurs de données et calculateurs chargés d'étudier puis de restructurer les informations qui leur parvenaient. Derrière elles se tenaient les trois mutants qui disparaissaient presque dans un fouillis de câbles.

« Les voilà, dit sèchement Anderton. Qu'en pensez-vous ? »

Dans la pénombre baragouinaient trois idiots dont les moindres émissions vocales, si incohérentes et aléatoires qu'elles soient, étaient analysées, comparées, réorganisées sous forme de symboles visuels, transcrites sur cartes perforées classiques et dirigées vers différents canaux codés. Et toute la journée les idiots jacassaient, emprisonnés dans des fauteuils à haut dossier qui les contraignaient à se tenir bien droits, fermement maintenus par des cerclages métalliques, des masses de câbles et des grappins.

Their physical needs were taken care of automatically. They had no spiritual needs. Vegetable-like, they muttered and dozed and existed. Their minds were dull, confused, lost in shadows.

But not the shadows of today. The three gibbering, fumbling creatures, with their enlarged heads and wasted bodies, were contemplating the future. The analytical machinery was recording prophecies, and as the three precog idiots talked, the machinery carefully listened.

For the first time Witwer's face lost its breezy confidence. A sick, dismayed expression crept into his eyes, a mixture of shame and moral shock. "It's not — pleasant," he murmured. "I didn't realize they were so—" He groped in his mind for the right word, gesticulating. "So — deformed."

"Deformed and retarded," Anderton instantly agreed. "Especially the girl, there. Donna is forty-five years old. But she looks about ten. The talent absorbs everything; the esp-lobe shrivels the balance of the frontal area. But what do we care? We get their prophecies.

Sur le plan physique, on subvenait automatiquement à tous leurs besoins. Quant aux exigences spirituelles, ils en étaient dépourvus. Véritables légumes, ils se contentaient de bredouiller, de sommeiller — l'existence réduite à sa plus simple expression. Ils étaient dotés d'un esprit primitif, confus, perdu dans les ombres.

Mais ce n'étaient pas les ombres du présent. Car, avec leur tête aux proportions anormales et leur corps au contraire tout ratatiné, ces trois créatures bafouillantes et gauches voyaient bel et bien l'avenir. Ce que les machines analytiques enregistraient, c'étaient des prophéties, et quand les trois idiots précogs parlaient, elles écoutaient attentivement.

Pour la première fois, Witwer perdit sa belle assurance. Le désarroi et le dégoût mêlés envahirent son regard, mélange de honte et de violente réprobation morale. « Ce n'est pas... beau à voir, murmura-t-il. J'ignorais qu'ils étaient si... » Il s'agita, cherchant le mot juste. « Si difformes.

— Difformes et attardés, acquiesça aussitôt Anderton. Surtout cette fille, là, Donna. À quarante-cinq ans, elle en paraît dix. Leur don de précognition absorbe tout le reste. Le lobe pes modifie radicalement l'équilibre de l'aire frontale. Mais qu'est-ce que ça peut nous faire ? Du moment que nous obtenons leurs prophéties.

They pass on what we need. They don't understand any of it, but *we* do."

Subdued, Witwer crossed the room to the machinery. From a slot he collected a stack of cards. "Are these names that have come up?" he asked.

"Obviously." Frowning, Anderton took the stack from him. "I havent't had a chance to examine them," he explained, impatiently concealing his annoyance.

Fascinated, Witwer watched the machinery pop a fresh card into the now empty slot. It was followed by a second — and a third. From the whirring disks came one card after another. "The precogs must see quite far into the future," Witwer exclaimed.

"They see a quite limited span," Anderton informed him. "One week or two ahead at the very most. Much of their data is worthless to us — simply not relevant to our line. We pass it on to the appropriate agencies. And they in turn trade data with us. Every important bureau has its cellar of treasured *monkeys*."

Ils nous transmettent ce que nous avons besoin de savoir. Eux n'y comprennent rien, mais *nous*, si. »

Impressionné, Witwer alla s'immobiliser devant les machines, à l'autre bout de la pièce. Il ramassa une pile de cartes perforées que venait d'expulser une fente. « Ce sont des noms trouvés par le système ? questionna-t-il.

— Manifestement, oui. » Fronçant les sourcils, Anderton lui prit le paquet de cartes. « Je n'ai pas encore eu le temps de les examiner », expliqua-t-il en donnant à son irritation le masque de l'impatience.

Fasciné, Witwer regarda la machine éjecter une nouvelle carte dans le plateau vide. Une deuxième suivit, puis une troisième. Une série de disques bourdonnants éjectaient une carte après l'autre. « Les précogs doivent voir très loin dans l'avenir ! s'exclama Witwer.

— Non, leur spectre est assez limité, rectifia Anderton. Une ou deux semaines au maximum. Une grande partie des données qu'ils nous fournissent ne nous sont d'aucune utilité parce qu'elles sont sans rapport avec nos recherches. Nous les communiquons aux organismes intéressés, qui, à leur tour, nous en renvoient d'autres. Chaque département de premier plan possède sa réserve de précieux *singes*.

"Monkeys?" Witwer stared at him uneasily. "Oh, yes, I understand. See no evil, speak no evil, et cetera. Very amusing."

"Very *apt.*" Automatically, Anderton collected the fresh cards which had been turned up by the spinning machinery. "Some of these names will be totally discarded. And most of the remainder record petty crimes: thefts, income tax evasion, assault, extortion. As I'm sure you know, Precrime has cut down felonies by ninety-nine and decimal point eight percent. We seldom get actual murder or treason. After all, the culprit knows we'll confine him in the detention camp a week before he gets a chance to commit the crime."

"When was the last time an actual murder was committed?" Witwer asked.

"Five years ago," Anderton said, pride in his voice.

"How did it happen?"

"The criminal escaped our teams. We had his name — in fact, we had all the details of the crime, including the victim's name. We knew the exact moment, the location of the planned act of violence. But in spite of us he was able to carry it out." Anderton shrugged. "After all, we can't get all of them." He riffled the cards. "But we do get most."

— Des singes ? » Mal à l'aise, Witwer le regarda fixement. « Ah, je comprends. Les trois singes qui ne voient pas, ne parlent pas, n'entendent pas. Très bien trouvé.

— C'est surtout très *approprié.* » Machinalement, Anderton ramassa les nouvelles cartes éjectées par les appareils. « Il ne sera tenu aucun compte de certains de ces noms. Pour le reste, la plupart ne prédisent que des délits mineurs : vols, fraudes fiscales, agressions, chantages. Comme vous le savez certainement, Précrime a réduit la criminalité de quatre-vingt-dix-neuf virgule huit pour cent. Le meurtre ou la trahison sont devenus très rares, puisque le coupable sait que nous allons l'enfermer en camp de détention une semaine avant qu'il puisse commettre son crime.

— À quand remonte le dernier assassinat ?

— Cinq ans, répondit fièrement Anderton.

— Qu'est-ce qui l'a rendu possible ?

— Le criminel a échappé à nos équipes. Nous avions son nom, et même tous les détails du crime, y compris l'identité de la victime. Nous connaissions le moment et le lieu précis de l'acte de violence projeté. Mais le meurtrier a quand même accompli son forfait. » Anderton haussa les épaules. « Après tout, nous ne pouvons pas les attraper tous. » Il joua brièvement avec les cartes perforées. « Disons que nous en arrêtons la plupart.

"One murder in five years." Witwer's confidence was returning. "Quite an impressive record... something to be proud of."

Quietly Anderton said: "I *am* proud. Thirty years ago I worked out the theory — back in the days when the self-seekers were thinking in terms of quick raids on the stock market. I saw something legitimate ahead — something of tremendous social value."

He tossed the packet of cards to Wally Page, his subordinate in charge of the monkey block. "See which ones we want," he told him. "Use your own judgment."

As Page disappeared with the cards, Witwer said thoughtfully: "It's a big responsibility."

"Yes, it is," agreed Anderton. "If we let one criminal escape — as we did five years ago — we've got a human life on our conscience. We're solely responsible. If we slip up, somebody dies." Bitterly, he jerked three new cards from the slot. "It's a public trust."

"Are you ever tempted to—" Witwer hesitated, "I mean, some of the men you pick up must offer you plenty."

— Un seul meurtre en cinq ans.» Witwer retrouvait son assurance. «Il y a de quoi être fier. C'est un score impressionnant!

— Mais, j'en *suis* fier, dit calmement Anderton. Quand j'ai mis au point le principe de base, il y a trente ans — à l'époque où certains n'y voyaient que leur profit personnel en se concentrant exclusivement sur le marché boursier, j'ai entrevu tout l'intérêt légal de la chose, son immense valeur sociale.»

Il lança le paquet de cartes perforées à Wally Page, son assistant responsable du bâtiment des «singes». «Tenez, triez ça. Fiez-vous à votre propre jugement.»

Page emporta les cartes et Witwer déclara pensivement: «C'est une lourde responsabilité.

— En effet. Si nous laissons un criminel s'échapper — comme il y a cinq ans —, nous avons la perte d'une vie humaine sur la conscience. Nous sommes seuls responsables. Une erreur de notre part et quelqu'un meurt.» Amer, il tira d'un coup sec trois nouvelles cartes gisant sur le plateau. «C'est un service public.

— N'êtes-vous jamais tenté de...» Witwer hésita. «Je veux dire, certains des hommes que vous arrêtez doivent... vous proposer beaucoup d'argent.

"It wouldn't do any good. A duplicate file of cards pops out at Army GHQ. It's check and balance. They can keep their eye on us as continuously as they wish." Anderton glanced briefly at the top card. "So even if we wanted to accept a—"

He broke off, his lips tightening.

"What's the matter?" Witwer asked curiously.

Carefully, Anderton folded up the top card and put it away in his pocket. "Nothing," he muttered. "Nothing at all."

The harshness in his voice brought a flush to Witwer's face. "You really don't like me," he observed.

"True," Anderton admitted. "I don't. But—"

He couldn't believe he disliked the young man that much. It didn't seem possible: it *wasn't* possible. Something was wrong. Dazed, he tried to steady his tumbling mind.

On the card was his name. Line one — an already accused future murderer! According to the coded punches, Precrime Commissioner John A. Anderton was going to kill a man — and within the next week.

With absolutely, overwhelming conviction, he didn't believe it.

— Cela ne servirait à rien. Un duplicata des cartes arrive au Q.G. de l'Armée. Cela fait contrepoids. Ils peuvent nous surveiller à leur guise. » Anderton jeta un rapide coup d'œil à la carte du dessus. « Donc, même si nous acceptions de nous laisser… »

Il s'interrompit et ses lèvres se pincèrent.

« Qu'y a-t-il ? » demanda Witwer intrigué.

Anderton plia soigneusement la carte en question et la rangea dans sa poche. « Rien, murmura-t-il. Rien du tout. »

Son ton plus que bourru fit monter le rouge aux joues de Witwer. « Je ne vous suis vraiment pas sympathique, observa-t-il.

— C'est exact, admit Anderton. Mais… »

Il avait du mal à croire que le jeune homme lui soit antipathique à ce point. Cela ne lui paraissait tout simplement pas possible. En fait, c'était même *impossible.* Quelque chose clochait. Hébété, il tenta de mettre de l'ordre dans ses idées brusquement embrouillées.

C'était son nom que révélait la carte. La ligne un l'accusait d'un meurtre encore à venir. À en croire les perforations, John A. Anderton, directeur de Précrime, allait tuer un homme avant une semaine.

Avec une conviction absolue, il refusa d'y croire.

II

In the outer office, talking to Page, stood Anderton's slim and attractive young wife, Lisa. She was engaged in a sharp, animated discussion of policy, and barely glanced up as Witwer and her husband entered.

"Hello, darling," Anderton said.

Witwer remained silent. But his pale eyes flickered slightly as they rested on the brown-haired woman in her trim police uniform. Lisa was now an executive official of Precrime but once, Witwer knew, she had been Anderton's secretary.

Noticing the interest on Witwer's face Anderton paused and reflected. To plant the card in the machines would require an accomplice on the inside — someone who was closely connected with Precrime and had access to the analytical equipment. Lisa was an improbable element. But the possibility did exist.

Of course, the conspiracy could be large-scale and elaborate, involving far more than a "rigged" card inserted somewhere along the line.

II

Lisa, la svelte et séduisante jeune épouse d'Anderton, se trouvait dans l'antichambre du bureau. Absorbée par la discussion animée qui l'opposait à Page sur des questions de politique générale de l'entreprise, elle leva à peine les yeux lorsque son mari entra en compagnie de Witwer.

« Bonjour, ma chérie », dit Anderton.

Witwer garda le silence. Mais ses yeux pâles avaient imperceptiblement cillé en se posant sur la jeune femme aux cheveux châtains en impeccable uniforme de police. Lisa était maintenant cadre supérieur à Précrime, mais Witwer savait que jadis elle avait été la secrétaire d'Anderton.

Ce dernier remarqua l'intérêt que Witwer portait à sa femme et se prit à réfléchir. Pour introduire subrepticement la carte dans les machines, il fallait un complice dans la place, quelqu'un qui soit associé de très près à Précrime et qui ait accès aux machines analytiques. Lisa constituait une hypothèse improbable. Néanmoins, la possibilité existait.

Évidemment, la conspiration pouvait être beaucoup plus vaste, plus élaborée, impliquer bien plus qu'une carte « truquée » introduite à un moment donné du processus.

The original data itself might have been tampered with. Actually, there was no telling how far back the alteration went. A cold fear touched him as he began to see the possibilities. His original impulse — to tear open the machines and remove all the data — was uselessly primitive. Probably the tapes agreed with the card : He would only incriminate himself further.

He had approximately twenty-four hours. Then, the Army people would check over their cards and discover the discrepancy. They would find in their files a duplicate of the card he had appropriated. He had only one of two copies, which meant that the folded card in his pocket might just as well be lying on Page's desk in plain view of everyone.

From outside the building came the drone of police cars starting out on their routine roundups. How many hours would elapse before one of them pulled up in front of *his* house?

"What's the matter, darling?" Lisa asked him uneasily. "You look as if you've just seen a ghost. Are you all right?"

"I'm fine," he assured her.

Lisa suddenly seemed to become aware of Ed Witwer's admiring scrutiny. "Is this gentleman your new co-worker, darling?" she asked.

C'était la donnée première elle-même qui avait pu être trafiquée. Il n'y avait aucun moyen de savoir où intervenait la modification. Glacé d'effroi, il entrevit soudain toutes les possibilités. Sa première impulsion — ouvrir les machines et en retirer toutes les données — était dérisoire, primitive. Les bandes magnétiques confirmaient sans doute la carte perforée ; il ne ferait que s'accuser davantage.

Il disposait d'environ vingt-quatre heures. Puis l'Armée vérifierait ses cartes et découvrirait l'anomalie, puisqu'elle aurait dans ses propres dossiers le double de la carte subtilisée. Tant qu'il n'en possédait qu'un seul exemplaire, la carte pliée dans sa poche était aussi dangereuse que si elle s'était trouvée sur le bureau de Page au vu et au su de tout le monde.

Dehors retentissait le vrombissement des voitures de police partant pour leur tournée quotidienne. Combien d'heures avant qu'une d'entre elles ne s'arrête devant *chez lui*?

« Qu'est-ce qu'il y a, mon chéri ? s'inquiéta Lisa. On dirait que tu viens de voir un fantôme. Qu'est-ce qui se passe ?

— Tout va bien », dit-il, rassurant.

Lisa parut prendre subitement conscience des regards admiratifs de Witwer. « Monsieur est ton nouvel adjoint, mon chéri ? »

Warily, Anderton introduced his new associate. Lisa smiled in friendly greeting. Did a covert awareness pass between them? He couldn't tell. God, he was beginning to suspect everybody — not only his wife and Witwer, but a dozen members of his staff.

"Are you from New York?" Lisa asked.

"No," Witwer replied. "I've lived most of my life in Chicago. I'm staying at a hotel — one of the big downtown hotels. Wait — I have the name written on a card somewhere."

While he self-consciously searched his pockets, Lisa suggested: "Perhaps you'd like to have dinner with us. We'll be working in close cooperation, and I really think we ought to get better acquainted."

Startled, Anderton backed off. What were the chances of his wife's friendliness being benign, accidental? Witwer would be present the balance of the evening, and would now have an excuse to trail along to Anderton's private residence. Profoundly disturbed, he turned impulsively, and moved toward the door.

"Where are you going?" Lisa asked, astonished.

"Back to the monkey block," he told her. "I want to check over some rather puzzling data tapes before the Army sees them." He was out in the corridor before she could think of a plausible reason for detaining him.

Sur ses gardes, Anderton lui présenta Witwer. Lisa lui sourit amicalement. Y avait-il une entente secrète entre eux ? Il n'aurait su le dire. Bon sang, voilà qu'il commençait à soupçonner tout le monde ! Et pas seulement sa femme et Witwer, mais aussi une dizaine de ses subordonnés.

« Vous êtes de New York ? s'enquit Lisa.

— Non, répondit Witwer. J'ai passé presque toute ma vie à Chicago. Je suis descendu à l'hôtel, un des grands établissements du centre-ville. J'en ai inscrit le nom quelque part. »

Pendant qu'il fouillait dans ses poches, Lisa proposa : « Voulez-vous que nous dînions ensemble ? Puisque nous allons travailler en étroite collaboration, je pense que nous devrions faire plus ample connaissance. »

Surpris, Anderton fit un pas en arrière. Quelle chance y avait-il pour que la gentillesse de sa femme soit innocente, purement accidentelle ? Witwer allait rester en leur compagnie jusqu'au soir et avait désormais un prétexte pour les suivre chez eux. Profondément troublé, Anderton tourna les talons et se dirigea vers la porte.

« Où vas-tu ? s'étonna Lisa.

— Je retourne chez les singes. Je voudrais vérifier quelques bandes de données que je ne comprends pas avant que l'Armée les voie. » Avant qu'elle ait trouvé une raison plausible de le retenir, il était déjà sorti dans le couloir.

Rapidly, he made his way to the ramp at its far end. He was striding down the outside stairs toward the public sidewalk, when Lisa appeared breathlessly behind him.

"What on earth has come over you?" Catching hold of his arm, she moved quickly in front of him. "I *knew* you were leaving," she exclaimed, blocking his way. "What's wrong with you? Everybody thinks you're—" She checked herself. "I mean, you're acting so erratically."

People surged by them — the usual afternoon crowd. Ignoring them, Anderton pried his wife's fingers from his arm. "I'm getting out," he told her. "While there's still time."

"But — *why*?"

"I'm being framed — deliberately and maliciously. This creature is out to get my job. The Senate is getting at me *through* him."

Lisa gazed up at him, bewildered. "But he seems like such a nice young man."

"Nice as a water moccasin."

Lisa's dismay turned to disbelief. "I don't believe it. Darling, all this strain you've been under—" Smiling uncertainly, she faltered: "It's not really credible that Ed Witwer is trying to frame you. How could be, even if he wanted to? Surely Ed wouldn't—"

Il le parcourut au pas de course et descendait l'escalier menant à la rue lorsque Lisa, haletante, le rattrapa.

« Mais enfin, qu'est-ce qui te prend ? » Elle le prit par le bras et se planta devant lui. « J'étais *sûre* que tu allais sortir, s'exclama-t-elle en lui barrant le passage. Quelle mouche te pique ? Tout le monde pense que tu es... » Elle se reprit. « Tu te conduis si bizarrement... »

Sur le trottoir autour d'eux, les gens se pressaient comme d'habitude à cette heure de l'après-midi. Anderton libéra son bras. « Je m'en vais pendant qu'il en est encore temps.

— Mais... *pourquoi*?

— On m'a tendu un piège... un piège délibéré et malveillant. Cet individu veut me prendre ma place. Le Sénat se sert *de lui* pour m'abattre. »

Lisa leva sur lui des yeux stupéfaits. « Pourtant, il a l'air d'un gentil jeune homme.

— Gentil comme un cobra royal, oui. »

L'étonnement de Lisa devint de l'incrédulité. « Je n'arrive pas à y croire. Mon chéri, tu t'es vraiment surmené ces derniers temps. » Avec un sourire mal assuré, elle ajouta, hésitante : « Il n'est pas très plausible qu'Ed Witwer essaie de te faire tomber dans un piège. Et comment cela, d'ailleurs ? Même s'il en avait l'intention ? Mais non, de toute façon, Ed ne ferait sûrement pas une chose par...

"Ed?"

"That's his name, isn't it?"

Her brown eyes flashed in startled, wildly incredulous protest. "Good heavens, you're suspicious of everybody. You actually believe I'm mixed up with it in some way, don't you?"

He considered. "I'm not sure."

She drew closer to him, her eyes accusing. "That's not true. You really believe it. Maybe you *ought* to go away for a few weeks. You desperately need a rest. All this tension and trauma, a younger man coming in. You're acting paranoiac. Can't you see that? People plotting against you. Tell me, do you have any actual proof?"

Anderton removed his wallet and took out the folded card. "Examine this carefully," he said, handing it to her.

The color drained out of her face, and she gave a little harsh, dry gasp.

"The set-up is fairly obvious," Anderton told her, as levelly as he could. "This will give Witwer a legal pretext to remove me right now. He won't have to wait until I resign." Grimly, he added: "They know I'm good for a few years yet."

"But—"

— Ed ?

— Eh bien oui, c'est bien ainsi qu'il se prénomme, non ? »

Les yeux bruns de la jeune femme flamboyèrent tant étaient vives sa surprise et son incrédulité. « Grands dieux, tu soupçonnes tout le monde ! Tu crois que je suis dans le coup d'une façon ou d'une autre, n'est-ce pas ? »

Il réfléchit. « Je n'en suis pas sûr. »

Elle se rapprocha et riva sur lui un regard accusateur. « Ce n'est pas vrai. Tu le crois sincèrement. Tu *devrais* peut-être prendre quelques semaines de congé, finalement. Tu as grand besoin de repos. L'arrivée d'un homme plus jeune t'a crispé, traumatisé. Tu agis en paranoïaque. Tu ne le vois pas ? Tu imagines qu'on complote contre toi. As-tu la moindre preuve formelle, au moins ? »

Anderton sortit la carte pliée de son portefeuille. « Regarde bien ça. »

La jeune femme blêmit et réprima un hoquet.

« C'est assez clair, dit Anderton avec tout le calme dont il était capable. Ceci donne à Witwer un motif légal pour se débarrasser de moi immédiatement. Il n'aura pas besoin d'attendre ma démission. » Maussade, il ajouta : « Ils savent que je peux tenir encore quelques années.

— Mais...

"It will end the check and balance system. Precrime will no longer be an independent agency. The Senate will control the police, and after that—" His lips tightened. "They'll absorb the Army too. Well, it's outwardly logical enough. *Of course* I feel hostility and resentment toward Witwer —" *of course* I have a motive.

"Nobody likes to be replaced by a younger man, and find himself turned out to pasture. It's all really quite plausible — except that I haven't the remotest intention of killing Witwer. But I can't prove that. So what can I do?"

Mutely, her face very white, Lisa shook her head. "I — I don't know. Darling, if only—"

"Right now," Anderton said abruptly, "I'm going home to pack my things. That's about as far ahead as I can plan."

"You're really going to — to try to hide out?"

"I am. As far as the Centaurian-colony planets, if neçessary. It's been done successfully before, and I have a twenty-four-hour start." He turned resolutely. "Go back inside. There's no point in your coming with me."

"Did you imagine I would?" Lisa asked huskily.

— Ce sera la fin de l'équilibre actuel. Précrime ne sera plus une organisation indépendante. Le Sénat contrôlera la police, et après cela... » Il pinça les lèvres. « Le Sénat absorbera aussi l'Armée. En apparence, c'est assez logique en effet. *Bien sûr* que j'éprouve de l'hostilité, du ressentiment envers Witwer. *Bien sûr* que j'ai un mobile.

« Personne n'aime qu'on l'envoie paître et qu'on le remplace par un homme plus jeune. Oui, tout cela est parfaitement plausible, sauf que je n'ai pas la moindre intention de tuer Witwer. Mais je ne peux pas le prouver. Alors, que faire ? »

Livide, Lisa secoua la tête. « Je... je ne sais pas. Chéri, si seulement...

— Moi, coupa brusquement Anderton, je rentre à la maison faire ma valise. J'ai du mal à voir plus loin pour l'instant.

— Tu vas vraiment essayer de... te cacher ?

— Oui. Et même sur les planètes coloniales centauriennes, si nécessaire. Ça s'est déjà fait avec succès, et j'ai vingt-quatre heures d'avance. » Il tourna résolument les talons. « Retourne au bureau. Tu n'as aucune raison de m'accompagner.

— Parce que tu croyais que je voudrais venir avec toi ? » fit-elle d'une voix rauque.

Startled, Anderton stared at her. "Wouldn't you?" Then with amazement, he murmured: "No, I can see you don't believe me. You still think I'm imagining all this." He jabbed savagely at the card. "Even with that evidence you still aren't convinced."

"No," Lisa agreed quickly. "I'm not. You didn't look at it closely enough, darling. Ed Witwer's name isn't on it."

Incredulous, Anderton took the card from her.

"Nobody says you're going to kill Ed Witwer," Lisa continued rapidly, in a thin, brittle voice. "The card *must* be genuine, understand? And it has nothing to do with Ed. He's not plotting against you and neither is anybody else."

Too confused to reply, Anderton stood studying the card. She was right. Ed Witwer was not listed as his victim. On line five, the machine had neatly stamped another name.

LEOPOLD KAPLAN

Numbly, he pocketed the card. He had never heard of the man in his life.

Anderton sursauta. « Ah bon, tu n'en avais pas l'intention ? » Puis, de plus en plus stupéfait, il murmura : « Non, je vois que tu ne me crois pas. Tu es toujours persuadée que j'ai tout imaginé. » Il tapota sauvagement de l'index la carte perforée. « Même cette preuve-là ne te suffit pas.

— Non, reconnut Lisa. En effet. Tu ne l'as pas regardée assez attentivement, mon chéri. Le nom d'Ed Witwer n'y figure pas. »

Incrédule, Anderton lui reprit l'objet.

« Nul ne prétend que tu vas tuer Ed Witwer, enchaîna Lisa d'une petite voix fragile. La carte est *forcément* authentique, comprends-tu ? Et elle ne concerne en rien Ed Witwer. Il ne complote pas contre toi. Personne ne complote contre toi. »

Trop ébahi pour répondre, Anderton contemplait la carte : Lisa avait raison. Witwer n'était pas la victime. Sur la cinquième ligne la machine avait bien proprement inscrit un autre nom.

LEOPOLD KAPLAN

Interdit, il remit la carte dans sa poche. De sa vie il n'avait entendu parler de cet homme.

III

The house was cool and deserted, and almost immediately Anderton began making preparations for his journey. While he packed, frantic thoughts passed through his mind.

Possibly he was wrong about Witwer — but how could he be sure? In any event, the conspiracy against him was far more complex than he had realized. Witwer, in the over-all picture, might be merely an insignificant puppet animated by someone else — by some distant, indistinct figure only vaguely visible in the background.

It had been a mistake to show the card to Lisa. Undoubtedly, she would describe it in detail to Witwer. He'd never get off Earth, never have an opportunity to find out what life on a frontier planet might be like.

While he was thus preoccupied, a board creaked behind him. He turned from the bed, clutching a weather-stained winter sports jacket, to face the muzzle of a gray-blue A-pistol.

"It didn't take you long," he said, staring with bitterness at the tight-lipped, heavyset man in a brown overcoat who stood holding the gun in his gloved hand. "Didn't she even hesitate?"

III

La maison était fraîche et déserte. Anderton entreprit aussitôt les préparatifs en vue du voyage. Tandis qu'il faisait ses bagages, de folles idées se présentèrent à son esprit.

Il se trompait peut-être au sujet de Witwer… mais comment en être sûr ? Quoi qu'il en soit, le complot contre lui était beaucoup plus complexe qu'il ne l'avait tout d'abord cru. Il se pouvait que Witwer n'en soit qu'un pion insignifiant, manipulé par une figure lointaine, indistincte, à peine discernable à l'arrière-plan.

Il avait eu tort de montrer la carte à Lisa. Elle allait la décrire minutieusement à Witwer. Il ne réussirait jamais à quitter la Terre, n'aurait jamais l'occasion d'apprendre à quoi ressemblait la vie sur une planète coloniale.

Tandis qu'il s'absorbait dans ses préoccupations, le parquet grinça derrière lui. Un vieux blouson à la main, il se détourna du lit et se retrouva nez à nez avec le canon gris-bleu d'un pistolet-A.

« Ça n'a pas traîné », dit-il en fixant avec amertume l'homme à la carrure imposante et aux lèvres serrées qui, vêtu d'un pardessus marron, tenait l'arme dans sa main gantée. « A-t-elle hésité, au moins ? »

The intruder's face registered no response. "I don't know what you're talking about," he said. "Come along with me."

Startled, Anderton laid down the sports jacket. "You're not from my agency? You're not a police officer?"

Protesting and astonished, he was hustled outside the house to a waiting limousine. Instantly three heavily armed men closed in behind him. The door slammed and the car shot off down the highway, away from the city. Impassive and remote, the faces around him jogged with the motion of the speeding vehicle as open fields, dark and somber, swept past.

Anderton was still trying futilely to grasp the implications of what had happened, when the car came to a rutted side road, turned off, and descended into a gloomy sub-surface garage. Someone shouted an order. The heavy metal lock grated shut and overhead lights blinked on. The driver turned off the car motor.

"You'll have reason to regret this," Anderton warned hoarsely, as they dragged him from the car. "Do you realize who I am?"

"We realize," the man in the brown overcoat said.

L'inconnu demeura sans réaction. « Je ne sais pas de quoi vous voulez parler. Suivez-moi. »

Surpris, Anderton reposa le blouson sur le lit. « Vous ne faites pas partie de mon organisation, dit-il. Vous n'êtes pas de la police ? »

Perplexe et multipliant les protestations, il se laissa entraîner dehors, où attendait une limousine. Trois hommes armés jusqu'aux dents l'entourèrent instantanément. La portière claqua et la voiture s'engagea à toute vitesse sur l'autoroute, en s'éloignant de la ville. Impassibles, distants, ses ravisseurs oscillaient au gré des balancements du véhicule, qui filait à présent au milieu des vastes champs d'une noirceur sinistre.

Anderton essayait vainement de comprendre ce qui lui arrivait. Puis ils bifurquèrent vers une route secondaire creusée d'ornières et descendirent dans un garage souterrain plongé dans l'ombre. Quelqu'un cria un ordre. Un lourd dispositif de verrouillage se referma avec un grincement métallique et des lumières s'allumèrent au plafond. Le chauffeur coupa le contact.

« Vous me le paierez, menaça Anderton d'une voix éraillée tandis qu'on le faisait débarquer de force. Enfin, savez-vous qui je suis ?

— Mais oui », fit l'homme au pardessus marron.

At gun-point, Anderton was marched upstairs, from the clammy silence of the garage into a deep-carpeted hallway. He was, apparently, in a luxurious private residence, set out in the war-devoured rural area. At the far end of the hallway he could make out a room — a book-lined study simply but tastefully furnished. In a circle of lamplight, his face partly in shadows, a man he had never met sat waiting for him.

As Anderton approached, the man nervously slipped a pair of rimless glasses in place, snapped the case shut, and moistened his dry lips. He was elderly, perhaps seventy or older, and under his arm was a slim silver cane. His body was thin, wiry, his attitude curiously rigid. What little hair he had was dusty brown — a carefully-smoothed sheen of neutral color above his pale, bony skull. Only his eyes seemed really alert.

"Is this Anderton?" he inquired querulously, turning to the man in the brown overcoat. "Where did you pick him up?"

"At his home," the other replied. "He was packing — as we expected."

Sous la menace des armes, Anderton dut monter un escalier quittant le silence froid et humide du garage pour un hall d'entrée recouvert d'une épaisse moquette. Il se trouvait apparemment dans une luxueuse demeure privée, située dans la campagne ravagée par la guerre. À l'autre bout, il entrevit une pièce — un cabinet de travail aux murs tapissés de livres, meublé simplement mais avec goût. Assis sous une lampe, le visage partiellement dans l'ombre, l'attendait un homme qu'il n'avait jamais vu.

À l'approche d'Anderton l'inconnu chaussa nerveusement une paire de lunettes sans monture, referma l'étui d'un coup sec et se passa la langue sur les lèvres. Il pouvait être âgé de soixante-dix ans, voire plus, et sous son bras était coincée une fine canne à pommeau d'argent. Il était maigre, sec et nerveux, et arborait une posture étrangement rigide. Ses rares cheveux — d'un châtain poussiéreux — étaient soigneusement lissés sur son crâne livide, où ils formaient une espèce de tache incolore mais lustrée. Seuls ses yeux étaient vifs et alertes.

« C'est Anderton ? questionna-t-il d'un ton bougon en s'adressant à l'homme au pardessus marron. Où l'avez-vous trouvé ?

— Chez lui, répondit l'autre, en train de faire ses bagages, comme prévu. »

The man at the desk shivered visibly. "Packing." He took off his glasses and jerkily returned them to their case. "Look here," he said bluntly to Anderton, "what's the matter with you? Are you hopelessly insane? How could you kill a man you've never met?"

The old man, Anderton suddenly realized, was Leopold Kaplan.

"First, I'll ask you a question," Anderton countered rapidly. "Do you realize what you've done? I'm Commissioner of Police. I can have you sent up for twenty years."

He was going to say more, but a sudden wonder cut him short.

"*How did you find out?*" he demanded. Involuntarily, his hand went to his pocket, where the folded card was hidden. "It won't be for another—"

"I wasn't notified through your agency," Kaplan broke in, with angry impatience. "The fact that you've never heard of me doesn't surprise me too much. Leopold Kaplan, General of the Army of the Federated Westbloc Alliance." Begrudgingly, he added, "Retired, since the end of the Anglo-Chinese War, and the abolishment of AFWA."

It made sense. Anderton had suspected that the Army processed its duplicate cards immediately, for its own protection.

L'homme assis au bureau tressaillit. « Ses bagages, hein… » Il ôta ses lunettes et les remit dans leur étui avec des gestes saccadés. « Écoutez-moi, dit-il brusquement à Anderton. Qu'est-ce qui vous prend ? Êtes-vous donc fou à lier ? Comment pouvez-vous désirer tuer un homme que vous n'avez jamais vu ? »

Anderton comprit soudain que le vieil homme était Leopold Kaplan.

« Je vais vous poser une question à mon tour, contra-t-il aussitôt. Vous rendez-vous compte de ce que vous avez fait ? Je suis préfet de police. Je peux vous faire condamner à vingt ans de détention. »

Il allait poursuivre mais l'étonnement fut plus fort que lui.

« *Comment avez-vous su ?* » Involontairement, il porta la main à sa poche, là où il avait caché la carte perforée. « Cela n'arrivera pas avant…

— Ce n'est pas par votre organisation que je l'ai appris, répliqua Kaplan avec une impatience irritée. Je ne suis pas tellement surpris que vous n'ayez jamais entendu parler de moi. Leopold Kaplan, général dans l'armée de l'Alliance fédérale du Bloc occidental. » À regret, il ajouta : « En retraite depuis la fin de la Guerre anglo-chinoise et la dissolution de l'A.F.B.O. »

C'était plausible. Anderton s'était déjà douté que, pour sa propre protection, l'armée traitait immédiatement les duplicatas des cartes.

Relaxing somewhat, he demanded : "Well ? You've got me here. What next ?"

"Evidently," Kaplan said, "I'm not going to have you destroyed, or it would have shown up on one of those miserable little cards. I'm curious about you. It seemed incredible to me that a man of your stature could contemplate the cold-blooded murder of a total stranger. There must be something more here. Frankly, I'm puzzled. If it represented some kind of Police strategy—" He shrugged his thin shoulders. "Surely you wouldn't have permitted the duplicate card to reach us."

"Unless," one of his men suggested, "it's a deliberate plant."

Kaplan raised his bright, bird-like eyes and scrutinized Anderton. "What do you have to say ?"

"That's exactly what it is," Anderton said, quick to see the advantage of stating frankly what he believed to be the simple truth. "The prediction on the card was deliberately fabricated by a clique inside the police agency. The card is prepared and I'm netted. I'm relieved of my authority automatically. My assistant steps in and claims he prevented the murder in the usual efficient Precrime manner. Needless to say, there is no murder or intent to murder."

Il se détendit un peu et dit : « Eh bien ? Qu'allez-vous faire maintenant que vous m'avez fait venir ici ?

— Naturellement, dit Kaplan, je ne vais pas vous faire tuer ; sinon, ce serait apparu sur une de vos sales petites cartes. Vous m'intriguez. Il me paraissait incroyable qu'un homme de votre stature puisse envisager le meurtre de sang-froid d'un parfait inconnu. Il doit y avoir autre chose. À vrai dire, je suis perplexe. S'il s'agissait d'une quelconque stratégie policière… » Il haussa les épaules. « Vous n'auriez sûrement pas permis que le double de la carte nous parvienne.

— À moins, suggéra un de ses hommes, qu'on ne l'ait fait exprès. »

Kaplan fixa ses petits yeux brillants sur Anderton. « Qu'avez-vous à dire ?

— C'est exactement cela. » Anderton vit tout de suite l'avantage qu'il aurait à dire ce qui, pour lui, était l'entière vérité. « La prédiction de la carte a été délibérément fabriquée de toutes pièces par une cabale à l'intérieur de mon organisation. On truque une carte et me voilà pris au piège. Et on me décharge d'office de mes responsabilités ; alors mon adjoint intervient et prétend avoir empêché le meurtre avec l'efficacité coutumière de Précrime. Nul besoin de préciser qu'il n'existe ni meurtre ni intention de meurtre.

"I agree with you that there will be no murder," Kaplan affirmed grimly. "You'll be in police custody. I intend to make certain of that."

Horrified, Anderton protested : "You're taking me back there? If I'm in custody I'll never be able to prove—"

"I don't care what you prove or don't prove," Kaplan interrupted. "All I'm interested in is having you out of the way." Frigidly, he added : "For my own protection."

"He was getting ready to leave," one of the men asserted.

"That's right," Anderton said, sweating. "As soon as they get hold of me I'll be confined in the detention camp. Witwer will take over — lock, stock and barrel." His face darkened. "And my wife. They're acting in concert, apparently."

For a moment Kaplan seemed to waver. "It's possible," he conceded, regarding Anderton steadily. Then he shook his head. "I can't take the chance. If this is a frame against you, I'm sorry. But it's simply not my affair." He smiled slightly. "However, I wish you luck." To the men he said : "Take him to the police building and turn him over to the highest authority."

— Je suis d'accord sur le fait qu'il n'y aura pas meurtre, dit Kaplan en se renfrognant. Vous serez aux mains de la police. Je vais m'en assurer. »

Horrifié, Anderton protesta : « Vous allez me ramener là-bas ? Mais si je suis détenu, je ne pourrai jamais prouver que…

— Je m'en moque, coupa Kaplan. Tout ce qui m'intéresse, c'est de vous mettre hors d'état de nuire. » Glacial, il ajouta : « Pour ma propre sécurité.

— Il se préparait à filer, affirma un des hommes.

— C'est exact, dit Anderton, qui transpirait. Dès qu'on m'attrapera, on m'enfermera en camp de détention. Witwer prendra la suite, toutes mes attributions… » Sombre, il ajouta : « Sans parler de ma femme. Apparemment, ils agissent de concert ! »

Kaplan parut tergiverser un moment. « C'est possible », concéda-t-il en fixant attentivement Anderton. Puis il secoua la tête. « C'est un risque que je ne peux pas courir. Si on vous a tendu un traquenard, je le regrette, mais le fait est que cela ne me regarde pas. » Il eut un petit sourire. « Néanmoins, je vous souhaite bonne chance. » Se tournant vers ses hommes, il ordonna : « Emmenez-le au siège de la police et remettez-le à la plus haute autorité. »

He mentioned the name of the acting commissioner, and waited for Anderton's reaction.

"Witwer!" Anderton echoed, incredulous.

Still smiling slightly, Kaplan turned and clicked on the console radio in the study. "Witwer has already assumed authority. Obviously, he's going to create quite an affair out of this."

There was a brief static hum, and then, abruptly, the radio blared out into the room — a noisy professional voice, reading a prepared announcement.

"... all citizens are warned not to shelter or in any fashion aid or assist this dangerous marginal individual. The extraordinary circumstance of an escaped criminal at liberty and in a position to commit an act of violence is unique in modern times. All citizens are hereby notified that legal statutes still in force implicate any and all persons failing to cooperate fully with the police in their task of apprehending John Allison Anderton. To repeat: The Precrime Agency of the Federal Westbloc Government is in the process of locating and neutralizing its former Commissioner, John Allison Anderton, who, through the methodology of the precrime-system,

Il nomma le préfet de police par intérim et attendit la réaction d'Anderton.

« Witwer ! » répéta Anderton, incrédule.

Sans se départir de son imperceptible sourire, Kaplan alluma la radio. « Witwer a d'ores et déjà pris votre place. Manifestement, il compte tirer de cette affaire le meilleur parti possible. »

Après quelques parasites, la radio se mit brusquement à rugir. On entendit une voix sonore, toute professionnelle, lire un texte rédigé à l'avance.

« ... Défense est faite à tous les citoyens de donner asile ou de prêter assistance de quelque façon que ce soit à ce dangereux individu désormais en marge de la société. Le fait extraordinaire qu'un criminel en fuite soit par là même en mesure de commettre un acte de violence représente un événement unique par les temps qui courent. Tous les citoyens sont avertis par le présent communiqué qu'au terme des dispositions légales toujours en vigueur, toute personne manquant de coopérer pleinement avec la police en vue de la capture de John Allison Anderton sera accusée de complicité. Je répète : l'Agence gouvernementale Précrime du Bloc fédéral occidental est en passe de retrouver et de neutraliser son ex-préfet de police, John Allison Anderton, qui, par les méthodes du système Précrime,

is hereby declared a potential murderer and as such forfeits his rights to freedom and all its privileges."

"It didn't take him long," Anderton muttered, appalled. Kaplan snapped off the radio and the voice vanished.

"Lisa must have gone directly to him," Anderton speculated bitterly.

"Why should he wait?" Kaplan asked. "You made your intentions clear."

He nodded to his men. "Take him back to town. I feel uneasy having him so close. In that respect I concur with Commissioner Witwer. I want him neutralized as soon as possible."

IV

Cold, light rain beat against the pavement, as the car moved through the dark streets of New York City toward the police building.

"You can see his point," one of the men said to Anderton. "If you were in his place you'd act just as decisively."

Sullen and resentful, Anderton stared straight ahead.

"Anyhow," the man went on, "you're just one of many. Thousands of people have gone to that detention camp.

est considéré comme un meurtrier en puissance et, à ce titre, perd ses droits à la liberté ainsi que toutes les prérogatives associées… »

« Il n'a pas perdu de temps », murmura Anderton, atterré. Kaplan pressa un bouton et la radio se tut.

« Lisa a dû aller le trouver immédiatement, spécula-t-il avec amertume.

— Pourquoi aurait-il dû attendre ? fit Kaplan. Vos intentions étaient suffisamment claires. »

Il fit signe à ses hommes. « Ramenez-le en ville. Sa présence me met mal à l'aise. Là-dessus, je suis d'accord avec le préfet Witwer. Je veux qu'on le neutralise dès que possible. »

IV

Une petite pluie froide martelait les trottoirs. La voiture roulait vers l'immeuble de la police à travers les rues sombres de New York.

« Vous devez comprendre Kaplan, fit un des hommes. À sa place, vous auriez pris des mesures aussi radicales. »

Anderton rivait droit devant lui un regard vengeur.

« De toute façon, poursuivit l'autre, vous n'êtes ni le premier ni le seul. Des milliers de gens ont déjà pris le chemin du camp de détention.

You won't be lonely. As a matter of fact, you may not want to leave."

Helplessly, Anderton watched pedestrians hurrying along the rain-swept sidewalks : He felt no strong emotion. He was aware only of an overpowering fatigue. Dully, he checked off the street numbers : they were getting near the police station.

"This Witwer seems to know how to take advantage of an opportunity," one of the men observed conversationally. "Did you ever meet him?"

"Briefly," Anderton answered.

"He wanted your job — so he framed you. Are you sure of that?"

Anderton grimaced. "Does it matter?"

"I was just curious." The man eyed him languidly. "So you're the ex-Commissioner of Police. People in the camp will be glad to see you coming. They'll remember you."

"No doubt," Anderton agreed.

"Witwer sure didn't waste any time. Kaplan's lucky — with an official like that in charge." The man looked at Anderton almost pleadingly. "You're really convinced it's a plot, eh?"

"Of course."

"You wouldn't harm a hair of Kaplan's head? For the first time in history, Precrime goes wrong?

Vous ne manquerez pas de compagnie. Peut-être même ne voudrez-vous plus en repartir ! »

Impuissant, Anderton regardait les passants se hâter sur les trottoirs battus par la pluie. Il ne ressentait plus rien, rien qu'une immense fatigue. Il repéra distraitement les numéros de rue : ils approchaient du siège de la police.

« Ce Witwer a l'art de saisir l'occasion, reprit un des hommes sur le ton de la conversation. Vous l'avez déjà rencontré ?

— Brièvement, dit Anderton.

— Il voulait votre poste, il vous a tendu un piège. Vous êtes sûr de ça ? »

Anderton grimaça. « Qu'est-ce que ça change ?

— Simple curiosité. » L'homme le contempla d'un air détaché. « Alors comme ça, vous êtes l'ex-préfet de police. Les détenus du camp seront contents de vous voir. Ils ne vous auront pas oublié.

— Sans doute, acquiesça Anderton.

— Witwer n'a vraiment pas perdu de temps. Kaplan a de la chance, avec un policier comme Witwer à votre place. » L'homme regarda Anderton d'un air presque suppliant. « Vous êtes vraiment convaincu que c'est un complot ?

— Bien sûr.

— Vraiment, vous ne toucheriez pas à un cheveu de Kaplan ? Pour la première fois dans l'histoire, Précrime se serait trompé ?

An innocent man is framed by one of those cards. Maybe there've been other innocent people — right?"

"It's quite possible," Anderton admitted listlessly.

"Maybe the whole system can break drown. Sure, you're not going to commit a murder — and maybe none of them were. Is that why you told Kaplan you wanted to keep yourself outside? Were you hoping to prove the system wrong? I've got an open mind, if you want to talk about it."

Another man leaned over, and asked, "Just between the two of us, is there really anything to this plot stuff? Are you really being framed?"

Anderton sighed. At that point he wasn't certain, himself. Perhaps he was trapped in a closed, meaningless time-circle with no motive and no beginning. In fact, he was almost ready to concede that he was the victim of a weary, neurotic fantasy, spawned by growing insecurity. Without a fight, he was willing to give himself up. A vast weight of exhaustion lay upon him. He was struggling against the impossible — and all the cards were stacked against him.

Un innocent serait donc condamné par les cartes perforées ? Mais alors, peut-être qu'il y a eu d'autres innocents pris au piège avant vous ?

— C'est très possible, en effet, dit Anderton d'un ton morne.

— Peut-être est-ce tout le système qui révèle ainsi sa faille. Admettons que vous n'ayez pas eu l'intention de commettre un meurtre. Dans ce cas, les autres n'en auraient pas commis non plus, si cela se trouve. C'est pour ça que vous avez dit à Kaplan que vous vouliez rester libre d'agir ? Vous espériez démontrer la faillibilité du système ? Si vous voulez en parler, moi, j'ai l'esprit ouvert. »

Un autre se pencha pour demander : « Entre nous, c'est vrai cette histoire de complot ? Vous êtes réellement victime d'un coup monté ? »

Anderton soupira. Maintenant, il n'en était plus très certain lui-même. Peut-être était-il prisonnier d'une boucle temporelle close dépourvue de signification, sans mobile ni commencement ni fin. Il était presque tenté de se croire victime d'un fantasme névrotique, né de la lassitude et de l'insécurité grandissante. Il était prêt à se rendre sans combat, écrasé sous le poids d'un incommensurable épuisement. Il avait affaire à plus fort que lui… à un adversaire qui avait toutes les cartes en main.

The sharp squeal of tires roused him. Frantically, the driver struggled to control the car, tugging at the wheel and slamming on the brakes, as a massive bread truck loomed up from the fog and ran directly across the lane ahead. Had he gunned the motor instead he might have saved himself. But too late he realized his error. The car skidded, lurched, hesitated for a brief instant, and then smashed head on into the bread truck.

Under Anderton the seat lifted up and flung him face-forward against the door. Pain, sudden, intolerable, seemed to burst in his brain as he lay gasping and trying feebly to pull himself to his knees. Somewhere the crackle of fire echoed dismally, a patch of hissing brilliance winking in the swirls of mist making their way into the twisted hulk of the car.

Hands from outside the car reached for him. Slowly he became aware that he was being dragged through the rent that had been the door. A heavy seat cushion was shoved brusquely aside, and all at once he found himself on his feet, leaning heavily against a dark shape and being guided into the shadows of an alley a short distance from the car.

In the distance, police sirens wailed.

Le crissement des pneus le tira de sa léthargie. Cherchant frénétiquement à reprendre le contrôle de son véhicule, le conducteur se cramponna au volant et freina à fond, mais un énorme camion de livraison émergeant du brouillard venait en face d'eux. S'il avait donné toute la puissance, il aurait peut-être pu passer, mais il comprit trop tard son erreur et la voiture dérapa, fit une embardée, s'immobilisa un bref instant puis heurta le camion de plein fouet.

Le siège d'Anderton se souleva et le projeta tout droit contre la portière. Une douleur fulgurante, intolérable, éclata dans sa tête ; il tenta de reprendre son souffle, de se mettre à genoux. Affolé, il entendit crépiter des flammes ; bientôt un foyer lumineux se mit à palpiter en sifflant entre les volutes de brume qui envahissaient peu à peu la carcasse torturée de la voiture.

Tout à coup, des mains le saisirent. Il se rendit progressivement compte qu'on le tirait à travers la brèche qui remplaçait la portière. Un coussin de siège fut brutalement repoussé et Anderton se retrouva soudain debout, soutenu par une silhouette sombre qui le conduisait vers une ruelle obscure à une courte distance de là.

La plainte stridente des voitures de police s'éleva dans le lointain.

"You'll live," a voice grated in his ear, low and urgent. It was a voice he had never heard before, as unfamiliar and harsh as the rain beating into his face. "Can you hear what I'm saying?"

"Yes," Anderton acknowledged. He plucked aimlessly at the ripped sleeve of his shirt. A cut on his cheek was beginning to throb. Confused, he tried to orient himself. "You're not—"

"Stop talking and listen." The man was heavyset, almost fat. Now his big hands held Anderton propped against the wet brick wall of the building, out of the rain and flickering light of the burning car. "We had to do it that way," he said. "It was the only alternative. We didn't have much time. We thought Kaplan would keep you at his place longer."

"Who are you?" Anderton managed.

The moist, rain-streaked face twisted into a humorless grin. "My name's Fleming. You'll see me again. We have about five seconds before the police get here. Then we're back where we started." A flat packet was stuffed into Anderton's hands. "That's enough loot to keep you going. And there's a full set of identification in there. We'll contact you from time to time."

« Vous allez vous en tirer », lui grinça à l'oreille une voix à la fois pressante et contenue. Une voix qui lui était totalement inconnue, aussi désagréable que la pluie qui lui fouettait le visage. « Vous m'entendez ?

— Oui. » Anderton tirailla distraitement sur la manche déchirée de sa chemise. Sa joue entaillée commençait à le faire souffrir. Désorienté, il essaya de reprendre ses esprits. « Vous n'êtes pas…

— Taisez-vous et écoutez-moi. » L'homme était carré, presque gros. De sa poigne puissante, il plaqua Anderton contre les briques humides d'un mur de bâtiment, à l'abri de la pluie et de la lueur des flammes dévorant la voiture. « On a été obligés de s'y prendre de cette façon-là, déclara-t-il. On n'avait pas le choix. Pas le temps. On pensait que Kaplan vous garderait plus longtemps chez lui. »

Anderton parvint à dire : « Qui êtes-vous ? »

Le visage strié de pluie, l'autre eut un sourire dénué d'humour. « Je m'appelle Fleming. Vous me reverrez. Il nous reste peut-être cinq secondes avant l'arrivée de la police. Alors on se retrouvera au point de départ. » Il fourra un paquet plat dans les mains d'Anderton. « De l'argent. Ça devrait suffire. Plus un jeu de papiers d'identité. On vous contactera de temps en temps. »

His grin increased and became a nervous chuckle. "Until you've proved your point."

Anderton blinked. "It is a frameup, then?"

"Of course." Sharply, the man swore. "You mean they got you to believe it, too?"

"I thought—" Anderton had trouble talking, one of his front teeth seemed to be loose. "Hostility toward Witwer... replaced, my wife and a younger man, natural resentment..."

"Don't kid yourself," the other said. "You know better than that. This whole business was worked out carefully. They had every phase of it under control. The card was set to pop the day Witwer appeared. They've already got the first part wrapped up. Witwer is Commissioner, and you're a hunted criminal."

"Who's behind it?"

"Your wife."

Anderton's head spun. "You're positive?"

The man laughed. "You bet your life." He glanced quickly around. "Here come the police. Take off down this alley. Grab a bus, get yourself into the slum section, rent a room and buy a stack of magazines to keep you busy.

Son sourire s'accentua et il lâcha un petit rire nerveux. « Jusqu'à ce que vous ayez fait la preuve de ce que vous avancez. »

Anderton cilla. « C'est bien un coup monté, alors ?

— Mais bien sûr. » L'homme jura violemment. « Vous voulez dire qu'ils ont réussi à vous convaincre, vous aussi ?

— Je croyais... » Anderton avait du mal à parler. Une de ses dents de devant bougeait. « Mon hostilité envers Witwer... mon remplacement... ma femme avec un homme plus jeune... un ressentiment bien naturel...

— Ne vous racontez donc pas d'histoires. Vous êtes plus malin que ça. Toute l'affaire a été soigneusement montée, chaque phase en a été contrôlée. La carte était programmée pour sortir le jour de l'arrivée de Witwer. Ils ont réussi la première partie de l'opération. Witwer est maintenant préfet et vous un criminel traqué.

— Qui est derrière tout ça ?

— Votre femme. »

Anderton en eut le vertige. « Vous en êtes certain ? »

L'autre rit. « Vous pouvez parier votre tête là-dessus. » Il jeta un regard rapide aux alentours. « Voilà la police. Enfuyez-vous par cette ruelle. Prenez le bus et gagnez les quartiers pauvres. Louez une chambre et procurez-vous une pile de magazines, pour vous occuper.

Get other clothes — You're smart enough to take care of yourself. Don't try to leave Earth. They've got all the intersystem transports screened. If you can keep low for the next seven days, you're made."

"Who are you?" Anderton demanded.

Fleming let go of him. Cautiously, he moved to the entrance of the alley and peered out. The first police car had come to rest on the damp pavement; its motor spinning tinnily, it crept suspiciously toward the smouldering ruin that had been Kaplan's car. Inside the wreck the squad of men were stirring feebly, beginning to creep painfully through the tangle of steel and plastic out into the cold rain.

"Consider us a protective society," Fleming said softly, his plump, expressionless face shining with moisture. "A sort of police force that watches the police. To see," he added, "that everything stays on an even keel."

His thick hand shot out. Stumbling, Anderton was knocked away from him, half-falling into the shadows and damp debris that littered the alley.

"Get going," Fleming told him sharply. "And don't discard that packet." As Anderton felt his way hesitantly toward the far exit of the alley, the man's last words drifted to him. "Study it carefully and you may still survive."

Achetez aussi d'autres vêtements. Vous êtes tout à fait capable de vous débrouiller tout seul. N'essayez pas de quitter la Terre. Tous les transports intersystèmes sont surveillés. Si vous pouvez disparaître une semaine, la partie est gagnée.

— Qui êtes-vous ? » insista Anderton.

Fleming le lâcha. Prudemment, il avança jusqu'à l'entrée de la ruelle et jeta un coup d'œil. La première voiture de police s'était avancée jusque sur le trottoir détrempé. Dans un grand bruit de moteur, elle s'approcha de l'épave fumante à l'intérieur de laquelle les hommes de Kaplan tentaient faiblement de s'extirper du tas d'acier et de plastique martelé par la pluie glaciale.

« Disons que nous sommes une société protectrice », dit Fleming à voix basse. Son visage rond, inexpressif, luisait d'humidité. « Une sorte de police qui surveille la police. Pour s'assurer, ajouta-t-il, que les chances restent égales. »

Il détendit brusquement le bras et, de sa grosse main, repoussa Anderton qui manqua tomber au milieu des débris de toutes sortes qui jonchaient la ruelle plongée dans la pénombre.

« Allez-y, fit brièvement Fleming. Et ne jetez pas le paquet. » Tandis qu'il se dirigeait à tâtons vers le bout de la ruelle, Anderton entendit l'homme lui lancer encore quelques mots : « Examinez-le attentivement et vous avez encore une chance de vous en sortir. »

V

The identification cards described him as Ernest Temple, an unemployed electrician, drawing a weekly subsistence from the State of New York, with a wife and four children in Buffalo and less than a hundred dollars in assets. A sweat-stained green card gave him permission to travel and to maintain no fixed address. A man looking for work needed to travel. He might have to go a long way.

As he rode across town in the almost empty bus, Anderton studied the description of Ernest Temple. Obviously the cards had been made out with him in mind, for all the measurements fitted. After a time he wondered about the fingerprints and the brain-wave pattern. They couldn't possibly stand comparison. The walletful of cards would get him past only the most cursory examinations.

But it was something. And with the ID cards came ten thousand dollars in bills. He pocketed the money and cards, then turned to the neatly-typed message in which they had been enclosed.

V

Selon ses nouveaux papiers d'identité, il se nommait Ernest Temple; électricien au chômage, il percevait une allocation hebdomadaire de l'État de New York. Il avait une épouse et quatre enfants à Buffalo et moins de cent dollars de biens réalisables. Une « carte verte » toute tachée de sueur l'autorisait à se déplacer sans avoir d'adresse fixe. Quand on cherchait du travail, on devait pouvoir circuler. Il serait peut-être obligé d'aller très loin…

En traversant la ville à bord d'un autobus presque vide, Anderton se plongea dans le signalement d'Ernest Temple. Manifestement, les cartes avaient été établies à son intention : tout concordait. Au bout d'un moment, il pensa aux empreintes digitales et au tracé E.E.G., ces signes distinctifs qui, eux, ne pouvaient pas coïncider. Ces papiers ne lui permettraient de franchir avec succès que les contrôles superficiels.

Mais c'était mieux que rien. En plus des papiers, il y avait dix mille dollars en billets. Il empocha le tout et passa à la feuille proprement dactylographiée qu'il avait dû déplier pour examiner le contenu du paquet.

At first he could make no sense of it. For a long time he studied it, perplexed.

The existence of a majority logically implies a corresponding minority.

The bus had entered the vast slum region, the tumbled miles of cheap hotels and broken-down tenements that had sprung up after the mass destruction of the war. It slowed to a stop, and Anderton got to his feet. A few passengers idly observed his cut cheek and damaged clothing. Ignoring them, he stepped down onto the rain-swept curb.

Beyond collecting the money due him, the hotel clerk was not interested. Anderton climbed the stairs to the second floor and entered the narrow, musty-smelling room that now belonged to him. Gratefully, he locked the door and pulled down the window shades. The room was small but clean. Bed, dresser, scenic calendar, chair, lamp, a radio with a slot for the insertion of quarters.

He dropped a quarter into it and threw himself heavily down on the bed. All main stations carried the police bulletin. It was novel, exciting, something unknown to the present generation.

Tout d'abord, il ne comprit pas le message. Perplexe, il dut le relire à plusieurs reprises.

L'existence d'une majorité implique logiquement l'existence d'une minorité correspondante.

L'autobus avait pénétré dans les bas quartiers, l'immense périmètre d'hôtels borgnes et de taudis à demi en ruine qui avaient proliféré après les destructions massives de la guerre. Il s'arrêta enfin et Anderton se leva. Quelques passagers remarquèrent sans réagir sa joue entaillée et ses vêtements déchirés. Il ne leur prêta pas attention et descendit sur le trottoir luisant de pluie.

L'employé de l'hôtel ne s'intéressa qu'à l'encaissement de l'argent qui lui était dû. Anderton grimpa au deuxième étage et entra dans la chambre exiguë mais propre devenue désormais la sienne. Elle sentait le renfermé. Soulagé, il poussa le verrou et abaissa le store. Un lit, une commode, un calendrier chromo, un fauteuil, une lampe, un poste de radio avec une fente pour des pièces de vingt-cinq *cents.*

Il y glissa une pièce et se laissa pesamment tomber sur le lit. Toutes les grandes stations retransmettaient le communiqué de la police. C'était un véritable événement, sans précédent pour la génération actuelle.

An escaped criminal! The public was avidly interested.

"... this man has used the advantage of his high position to carry out an initial escape," the announcer was saying, with professional indignation. "Because of his high office he had access to the previewed data and the trust placed in him permitted him to evade the normal process of detection and re-location. During the period of his tenure he exercised his authority to send countless potentially guilty individuals to their proper confinement, thus sparing the lives of innocent victims. This man, John Allison Anderton, was instrumental in the original creation of the Precrime system, the prophylactic pre-detection of criminals through the ingenious use of mutant precogs, capable of previewing future events and transferring orally that data to analytical machinery. These three precogs, in their virtual function..."

The voice faded out as he left the room and entered the tiny bathroom. There, he stripped off his coat, and shirt, and ran hot water in the wash bowl. He began bathing the cut on his cheek. At the drugstore on the corner he had bought iodine and Band-aids, a razor, comb, toothbrush, and other small things he would need.

Pensez ! Un criminel en fuite ! Le public était avide de détails.

« … cet homme a profité de sa position haut placée pour préparer sa fuite, disait le commentateur avec une indignation toute professionnelle. Par sa charge, il avait accès aux données prévisionnelles, d'autre part, la confiance générale dont il jouissait lui a permis d'échapper à la procédure normale de détection et de placement en résidence surveillée. Dans l'exercice de ses fonctions, il a usé de son pouvoir pour envoyer des milliers de coupables potentiels en détention, épargnant ainsi la vie de futures victimes innocentes. Cet homme, John Allison Anderton, a joué un rôle décisif dans la création de Précrime, notre système de prédétection prophylactique de la criminalité par l'emploi ingénieux de mutants précogs capables de prévoir des événements et de transmettre oralement ces données à des appareils d'analyse. Ces trois mutants, dont le rôle est vital… »

Il entra dans sa minuscule salle de bains et la voix décrut. Il ôta sa veste et sa chemise, puis fit couler de l'eau chaude dans le lavabo. Il lava l'estafilade qui barrait sa joue. À la pharmacie du coin, il avait acheté de l'iode, des pansements, un rasoir, un peigne, une brosse à dents, bref, tous les accessoires dont il aurait besoin.

The next morning he intended to find a second-hand clothing store and buy more suitable clothing. After all, he was now an unemployed electrician, not an accident-damaged Commissioner of Police.

In the other room the radio blared on. Only subconsciously aware of it, he stood in front of the cracked mirror, examining a broken tooth.

"... the system of three precogs finds its genesis in the computers of the middle decades of this century. How are the results of an electronic computer checked? By feeding the data to a second computer of identical design. But two computers are not sufficient. If each computer arrived at a different answer it is impossible to tell *a priori* which is correct. The solution, based on a careful study of statistical method, is to utilize a third computer to check the results of the first two. In this manner, a so-called majority report is obtained. It can be assumed with fair probability that the agreement of two out of three computers indicates which of the alternative results is accurate. It would not be likely that two computers would arrive at identically incorrect solutions—"

Le lendemain il trouverait une boutique de vêtements d'occasion et achèterait une tenue plus digne d'un Ernest Temple. Après tout, il était maintenant électricien au chômage, et non plus un préfet de police ayant eu un accident de voiture.

Dans la chambre, la radio continuait de brailler. À peine conscient de son vacarme, il inspecta sa dent cassée devant le miroir craquelé.

« … le système à trois précogs a pour origine les ordinateurs du milieu de ce siècle. Comment vérifie-t-on les résultats fournis par l'ordinateur ? En introduisant les données dans un autre ordinateur de modèle identique. Mais cela ne suffit pas. Si chaque ordinateur arrivait à des conclusions différentes, il serait impossible de dire, *a priori*, lequel des deux a raison. La solution, fondée sur une étude approfondie des méthodes statistiques, consiste à utiliser un troisième ordinateur aux fins de vérification. De cette façon on obtient ce que l'on appelle un rapport majoritaire. Il existe une assez forte probabilité pour que cette concordance de deux ordinateurs sur trois désigne, entre les deux possibilités, la solution correcte. Il est en effet très peu vraisemblable que deux ordinateurs parviennent à des solutions identiquement fausses, et… »

Anderton dropped the towel he was clutching and raced into the other room. Trembling, he bent to catch the blaring words of the radio.

"... unanimity of all three precogs is a hoped-for but seldom-achieved phenomenon, acting-Commissioner Witwer explains. It is much more common to obtain a collaborative majority report of two precogs, plus a minority report of some slight variation, usually with reference to time and place, from the third mutant. This is explained by the theory of *multiple-futures*. If only one time-path existed, precognitive information would be of no importance, since no possibility would exist, in possessing this information, of altering the future. In the Precrime Agency's work we must first of all assume—"

Frantically, Anderton paced around the tiny room. Majority report — only two of the precogs had concurred on the material underlying the card. That was the meaning of the message enclosed with the packet. The report of the third precog, the minority report, was somehow of importance.

Why?

Anderton laissa tomber l'essuie-mains et revint en courant dans la chambre. Tremblant, il se baissa pour mieux entendre les propos tonitruants émis par la radio.

« … l'unanimité des trois précogs est un phénomène espéré mais rarement constaté, nous a expliqué le préfet par intérim Witwer. Le plus souvent, on obtient un rapport majoritaire de la part de deux précogs, plus un rapport minoritaire comportant de légères variantes, le plus souvent en matière de date et de lieu, issu du troisième mutant. Cela s'explique par la théorie des *futurs multiples*. S'il n'existait qu'un seul sillon spatio-temporel, les informations précognitives n'auraient aucune valeur puisque, même en possédant ces données, il serait impossible de changer l'avenir. Au niveau du travail effectué par Précrime, il faut partir du principe que… »

Anderton se mit à arpenter furieusement la petite chambre. Un rapport majoritaire… Seuls deux mutants sur trois étaient tombés d'accord sur les informations ayant donné lieu à la fameuse carte. Voilà ce que signifiait le message du paquet : les révélations du troisième mutant, celles qui constituaient le rapport minoritaire, étaient manifestement importantes.

Mais en quoi ?

His watch told him that it was after midnight. Page would be off duty. He wouldn't be back in the monkey block until the next afternoon. It was a slim chance, but worth taking. Maybe Page would cover for him, and maybe not. He would have to risk it.

He had to see the minority report.

VI

Between noon and one o'clock the rubbish-littered streets swarmed with people. He chose that time, the busiest part of the day, to make his call. Selecting a phonebooth in a patron-teeming super drugstore, he dialed the familiar police number and stood holding the cold receiver to his ear. Deliberately, he had selected the aud, not the vid line: in spite of his second-hand clothing and seedy, unshaven appearance, he might be recognized.

The receptionist was new to him. Cautiously, he gave Page's extension. If Witwer were removing the regular staff and putting in his satellites, he might find himself talking to a total stranger.

"Hello," Page's gruff voice came.

Il consulta sa montre. Minuit passé. Page n'était plus de service et ne serait de retour au bâtiment des singes que l'après-midi suivant. Ses chances étaient minces, mais le coup valait la peine d'être tenté. Page refuserait peut-être de l'aider. Mais il devait courir le risque.

Il fallait qu'il voie ce rapport minoritaire.

VI

Entre midi et une heure les rues jonchées d'ordures grouillaient de passants. Il choisit ce moment-là, le plus actif de la journée, pour aller téléphoner. Il jeta son dévolu sur une cabine dans un super-drugstore bourré à craquer, composa le numéro familier de la police et attendit, le récepteur froid plaqué contre son oreille. Il avait délibérément préféré la communication audio à la ligne vidéo. En effet, malgré ses vêtements d'occasion, son apparence générale négligée et ses joues mal rasées, on pouvait le reconnaître.

La voix de la standardiste ne lui rappela rien. Prudemment, il donna le numéro du poste de Page. Si Witwer avait décidé de changer le personnel et de le remplacer par des gens à lui, il risquait de tomber sur un parfait inconnu.

« Allô ! » C'était bien la voix bourrue de Page.

Relieved, Anderton glanced around. Nobody was paying any attention to him. The shoppers wandered among the merchandise, going about their daily routines. "Can you talk?" he asked. "Or are you tied up?"

There was a moment of silence. He could picture Page's mild face torn with uncertainty as he wildly tried to decide what to do. At last came halting words. "Why — are you calling here?"

Ignoring the question, Anderton said, "I didn't recognize the receptionist. New personnel?"

"Brand-new," Page agreed, in a thin, strangled voice. "Big turnovers, these days."

"So I hear." Tensely, Anderton asked, "How's your job? Still safe?"

"Wait a minute." The receiver was put down and the muffled sound of steps came in Anderton's ear. It was followed by the quick slam of a door being hastily shut. Page returned. "We can talk better now," he said hoarsely.

"How much better?"

"Not a great deal. Where are you?"

"Strolling through Central Park," Anderton said. "Enjoying the sunlight."

Soulagé, Anderton jeta un regard circulaire. Personne ne faisait attention à lui. Les clients déambulaient parmi les produits offerts et vaquaient à leurs occupations habituelles. « Pouvez-vous parler ? Ou y a-t-il un problème de ce côté-là ? » lui demanda Anderton.

Un silence. Il imaginait la figure benoîte de Page crispée par l'incertitude tandis qu'il se demandait quoi faire. Enfin celui-ci prit la parole d'un ton hésitant. « Pourquoi… m'appelez-vous ici ? »

Anderton passa outre : « Je n'ai pas reconnu la standardiste. On a embauché des nouveaux ?

— Vous pouvez le dire, acquiesça Page d'une petite voix étranglée. On licencie beaucoup en ce moment.

— C'est ce que j'avais cru comprendre. » Tendu, Anderton ajouta : « Et vous ? Vous ne risquez rien ?

— Un instant. » Page posa le récepteur. Anderton entendit des pas étouffés, suivis du claquement d'une porte qu'on fermait hâtivement. Page revint en ligne. « Nous pouvons parler plus tranquillement à présent, commenta-t-il d'une voix rauque.

— Tout à fait tranquillement ?

— Pas vraiment, non. Où êtes-vous ?

— Je me balade dans Central Park, dit Anderton. Je profite du soleil. »

For all he knew, Page had gone to make sure the line-tap was in place. Right now, an airborne police team was probably on its way. But he had to take the chance. "I'm in a new field," he said curtly. "I'm an electrician these days."

"Oh?" Page said, baffled.

"I thought maybe you had some work for me. If it can be arranged, I'd like to drop by and examine your basic computing equipment. Especially the data and analytical banks in the monkey block."

After a pause, Page said: "It — might be arranged. If it's really important."

"It is," Anderton assured him. "When would be best for you?"

"Well," Page said, struggling. "I'm having a repair team come in to look at the intercom equipment. The acting-Commissioner wants it improved, so he can operate quicker. You might trail along."

"I'll do that. About when?"

"Say four o'clock. Entrance B, level 6. I'll — meet you."

"Fine," Anderton agreed, already starting to hang up. "I hope you're still in charge, when I get there."

Comment savoir, en effet, si Page n'était pas tout simplement allé s'assurer que l'écoute était branchée ? Auquel cas une équipe de police aéroportée pouvait déjà être en chemin. Mais il devait courir le risque. « J'ai changé de métier, dit-il sobrement. Je suis électricien, maintenant.

— Ah ? fit Page, déconcerté.

— J'ai pensé que vous auriez peut-être du travail pour moi. Si possible, j'aimerais venir faire un saut histoire d'examiner votre installation d'information de base. Tout particulièrement les systèmes de stockage et d'analyse des données situées chez les singes. »

Nouveau silence. Puis Page répondit : « Euh... c'est peut-être faisable. Si c'est vraiment important.

— Ça oui, fit Anderton. Quel est le moment qui vous conviendrait le mieux ?

— Eh bien..., dit Page, incertain. Des techniciens de maintenance doivent justement venir inspecter l'intercom. Le préfet par intérim veut l'améliorer afin de pouvoir agir plus vite. Vous pourriez en profiter.

— Très bien. Vers quelle heure ?

— Disons quatre heures. Entrée B, niveau 6. Je... serai là pour vous attendre.

— Parfait, dit Anderton en se préparant déjà à raccrocher. J'espère que vous serez encore en poste à cette heure-là ! »

He hung up and rapidly left the booth. A moment later he was pushing through the dense pack of people crammed into the nearby cafeteria. Nobody would locate him there.

He had three and a half hours to wait. And it was going to seem a lot longer. It proved to be the longest wait of his life before he finally met Page as arranged.

The first thing Page said was: "You're out of your mind. Why in hell did you come back?"

"I'm not back for long." Tautly, Anderton prowled around the monkey block, systematically locking one door after another. "Don't let anybody in. I can't take chances."

"You should have quit when you were ahead." In an agony of apprehension, Page followed after him. "Witwer is making hay, hand over fist. He's got the whole country screaming for your blood."

Ignoring him, Anderton snapped open the main control bank of the analytical machinery. "Which of the three monkeys gave the minority report?"

"Don't question me — I'm getting out." On his way to the door Page halted briefly, pointed to the middle figure, and then disappeared. The door closed; Anderton was alone.

Il raccrocha, quitta précipitamment la cabine et se fraya un passage à travers la fourmilière humaine qui se pressait dans la cafétéria toute proche. Personne ne le trouverait là-dedans.

Il avait trois heures et demie devant lui. Mais l'attente allait lui paraître bien plus longue. En fait, ce fut la plus interminable de sa vie. Enfin, il retrouva Page à l'endroit convenu.

Les premiers mots de son ex-assistant furent : « Vous avez perdu la tête ! Qu'est-ce qui vous a pris de revenir ici ?

— Je n'en aurai pas pour longtemps. » Concentré, Anderton parcourut le bâtiment des singes, verrouillant systématiquement une porte après l'autre. « Ne laissez entrer personne. Je ne peux pas prendre le moindre risque.

— Vous auriez dû profiter de votre évasion. » Vert de peur, Page le suivait pas à pas. « Witwer, lui, profite à fond de la situation. Il a si bien fait que tout le pays réclame votre tête. »

Sans lui prêter attention, Anderton ouvrit d'un geste brusque le panneau de contrôle principal donnant accès aux circuits analytiques. « Lequel des trois singes a livré le rapport minoritaire ?

— Ne me posez pas de questions ! Je m'en vais. » Page s'arrêta à mi-chemin de la sortie, désigna le mutant du centre puis disparut. La porte se referma. Anderton resta seul.

The middle one. He knew that one well. The dwarfed, hunched-over figure had sat buried in its wiring and relays for fifteen years. As Anderton approached, it didn't look up. With eyes glazed and blank, it contemplated a world that did not yet exist, blind to the physical reality that lay around it.

"Jerry" was twenty-four years old. Originally, he had been classified as a hydrocephalic idiot but when he reached the age of six the psych testers had identified the precog talent, buried under the layers of tissue corrosion. Placed in a government-operated training school, the latent talent had been cultivated. By the time he was nine the talent had advanced to a useful stage. "Jerry," however, remained in the aimless chaos of idiocy; the burgeoning faculty had absorbed the totality of his personality.

Squatting down, Anderton began disassembling the protective shields that guarded the tape-reels stored in the analytical machinery. Using schematics, he traced the leads back from the final stages of the integrated computers, to the point where "Jerry's" individual equipment branched off. Within minutes he was shakily lifting out two half-hour tapes : recent rejected data not fused with majority reports.

C'était donc le mutant du milieu. Il le connaissait bien, celui-là. Nain et difforme, il était prisonnier de sa nasse de câbles et de circuits depuis quinze ans. Le mutant ne leva pas la tête à son approche. Les yeux vitreux, le regard vide, il contemplait un monde qui n'existait pas encore et restait aveugle à la réalité qui l'entourait.

« Jerry » avait vingt-quatre ans. À l'origine, il avait été classé Idiot hydrocéphale, mais quand il avait atteint six ans, les testeurs psy avaient décelé chez lui un talent précog enfoui sous un amas de tissus lésés. On l'avait placé dans une institution gouvernementale où son don latent avait été cultivé. Dès neuf ans « Jerry » possédait un talent exploitable. Mais il n'était jamais sorti du chaos brut de l'idiotie. Sa faculté précog croissante avait absorbé la totalité de sa personnalité.

Anderton s'accroupit et entreprit de démonter les boucliers protégeant les bandes magnétiques des appareils analytiques. S'aidant de schémas, il suivit les fils en remontant depuis les derniers éléments de la chaîne informatique jusqu'à l'endroit où le matériel de « Jerry » se différenciait des autres. Quelques minutes plus tard, tout tremblant, il en extrayait deux bandes de trente minutes chacune : les données récentes qui avaient été rejetées au lieu de fusionner avec les rapports majoritaires.

Consulting the code chart, he selected the section of tape which referred to his particular card.

A tape scanner was mounted nearby. Holding his breath, he inserted the tape, activated the transport, and listened. It took only a second. From the first statement of the report it was clear what had happened. He had what he wanted; he could stop looking.

"Jerry's" vision was misphased. Because of the erratic nature of precognition, he was examining a time-area slightly different from that of his companions. For him, the report that Anderton would commit a murder was an event to be integrated along with everything else. That assertion — and Anderton's reaction — was one more piece of datum.

Obviously, "Jerry's" report superseded the majority report. Having been informed that he would commit a murder, Anderton would change his mind and not do so. The preview of the murder had cancelled out the murder; prophylaxis had occurred simply in his being informed. Already, a new timepath had been created. But "Jerry" was outvoted.

Après avoir consulté la liste des codes, il repéra la section de bande se rapportant à sa propre carte.

Le souffle court, il plaça la bande dans un lecteur tout proche, activa le plateau tournant et prêta l'oreille. L'opération ne prit qu'une seconde. Dès les premiers mots du rapport il comprit ce qu'il s'était passé. Il tenait ce qu'il voulait savoir : nul besoin de chercher plus avant.

La vision de « Jerry » n'était pas en phase. La précognition étant en soi de nature erratique, le mutant voyait une zone spatio-temporelle légèrement différente de celle perçue par ses compagnons. Pour lui, la perspective d'Anderton commettant un meurtre était effectivement un facteur à intégrer au reste. L'assertion elle-même, ainsi que la réaction d'Anderton, n'était qu'une donnée comme les autres.

De toute évidence, le rapport de « Jerry » avait pris le pas sur le rapport majoritaire. Une fois informé qu'il allait perpétrer un crime, Anderton devait changer d'avis et s'abstenir. Le simple fait que le meurtre ait été prévu avait suffi à en supprimer la possibilité même. La prophylaxie avait agi aussitôt qu'Anderton avait été informé. Un nouveau sillon temporel s'était alors créé. Seulement « Jerry » n'avait représenté qu'une voix contre deux.

Trembling, Anderton rewound the tape and clicked on the recording head. At high speed he made a copy of the report, restored the original, and removed the duplicate from the transport. Here was the proof that the card was invalid: *obsolete*. All he had to do was show it to Witwer...

His own stupidity amazed him. Undoubtedly, Witwer had seen the report; and in spite of it, had assumed the job of Commissioner, had kept the police teams out. Witwer didn't intend to back down; he wasn't concerned with Anderton's innocence.

What, then, could he do? Who else would be interested?

"You damn fool!" a voice behind him grated, wild with anxiety.

Quickly, he turned. His wife stood at one of the doors, in her police uniform, her eyes frantic with dismay. "Don't worry," he told her briefly, displaying the reel of tape. "I'm leaving."

Her face distorted, Lisa rushed frantically up to him. "Page said you were here, but I couldn't believe it. He shouldn't have let you in. He just doesn't understand what you are."

"What am I?" Anderton inquired caustically. "Before you answer, maybe you better listen to this tape."

Tremblant, Anderton rembobina la bande et actionna la tête d'enregistrement. Il effectua une copie à grande vitesse du rapport en question et ôta le duplicata du plateau. Il tenait la preuve que la carte était invalide, *obsolète.* Il n'avait plus qu'à la montrer à Witwer…

Puis il s'étonna de sa propre bêtise. Witwer avait indubitablement vu le rapport minoritaire ; et malgré cela il s'était emparé du poste de préfet et avait maintenu les recherches. Il n'avait aucunement l'intention de battre en retraite ; le fait qu'Anderton soit innocent lui importait peu.

Alors que faire ? Qui d'autre s'en préoccuperait ?

« Imbécile ! » grinça derrière lui une voix où perçait l'angoisse.

Il se retourna vivement. Vêtue de son uniforme de police, sa femme se tenait devant une des portes, les yeux écarquillés de désarroi. « Ne t'en fais pas, jeta-t-il en lui montrant la bande magnétique. Je m'en vais. »

Le visage crispé, Lisa se précipita vers lui. « Page m'a dit que tu étais ici, mais je n'arrivais pas à y croire. Il n'aurait jamais dû te laisser entrer. Il ignore totalement à qui il a affaire.

— Qu'est-ce à dire ? s'enquit Anderton sur un ton caustique. Avant de répondre, tu ferais peut-être bien d'écouter cet enregistrement.

"I don't want to listen to it! I just want you go get out of here! Ed Witwer knows somebody's down here. Page is trying to keep him occupied, but—" She broke off, her head turned stiffly to one side. "He's here now! He's going to force his way in."

"Haven't you got any influence? Be gracious and charming. He'll probably forget about me."

Lisa looked at him in bitter reproach. "There's a ship parked on the roof. If you want to get away..." Her voice choked and for an instant she was silent. Then she said, "I'll be taking off in a minute or so. If you want to come—"

"I'll come," Anderton said. He had no other choice. He had secured his tape, his proof, but he hadn't worked out any method of leaving. Gladly, he hurried after the slim figure of his wife as she strode from the block, through a side door and down a supply corridor, her heels clicking loudly in the deserted gloom.

"It's a good fast ship," she told him over her shoulder. "It's emergency-fueled — ready to go. I was going to supervise some of the teams."

— Je m'en moque ! Tout ce que je veux, c'est que tu t'en ailles ! Witwer sait qu'il y a quelqu'un ici. Page essaie de le retenir par tous les moyens, mais... » Elle se tut et tourna brusquement la tête, l'oreille aux aguets. « Il vient ! Il va entrer de force !

— Tu n'as donc pas d'influence sur lui ? Sois gracieuse, charmeuse. Il oubliera mon existence. »

Lisa posa sur lui un regard chargé d'amer reproche. « Il y a un vaisseau garé sur le toit. Si tu veux t'enfuir... » Sa voix lui fit défaut et elle dut rester un instant silencieuse. Puis elle reprit : « Je décolle dans quelques minutes. Si tu veux venir...

— D'accord », dit Anderton. Il n'y avait pas d'autre solution. Il tenait la bande, sa preuve, mais il n'avait pas préparé sa sortie. Trop heureux, il se lança derrière la mince silhouette de sa femme et tous deux quittèrent le bâtiment des singes par une porte latérale donnant sur un couloir d'entretien. Les talons de Lisa résonnèrent dans le passage obscur et désert.

« C'est un bon vaisseau, il est rapide, lança-t-elle par-dessus son épaule. Ses réservoirs sont pleins, en cas d'urgence. Il est prêt à décoller. J'allais justement superviser le travail de certaines équipes. »

VII

Behind the wheel of the high-velocity police cruiser, Anderton outlined what the minority report tape contained. Lisa listened without comment, her face pinched and strained, her hands clasped tensely in her lap. Below the ship, the war-ravaged rural countryside spread out like a relief map, the vacant regions between cities crater-pitted and dotted with the ruins of farms and small industrial plants.

"I wonder," she said, when he had finished, "how many times this has happened before."

"A minority report? A great many times."

"I mean, one precog misphased. Using the report of the others as data — superseding them." Her eyes dark and serious, she added, "Perhaps a lot of the people in the camps are like you."

"No," Anderton insisted. But he was beginning to feel uneasy about it, too. "I was in a position to see the card, to get a look at the report. That's what did it."

"But—" Lisa gestured significantly. "Perhaps all of them would have reacted that way. We could have told them the truth."

VII

Une fois aux commandes du croiseur de police ultrarapide, Anderton résuma pour sa femme le contenu du rapport minoritaire. Lisa l'écouta sans faire de commentaires, le visage contracté, les traits tirés et les mains crispées sur ses genoux. Sous le croiseur, la campagne ravagée par la guerre se déployait comme une carte en relief, avec, entre les agglomérations, des zones désertes constellées de cratères, de fermes et de petites usines en ruine.

« Je me demande combien de fois cela s'est déjà produit, remarqua-t-elle quand il en eut fini.

— Tu veux parler des rapports minoritaires ? Très, très souvent.

— Je veux dire : un mutant déphasé se servant des deux autres rapports… et prenant le pas sur eux. » Le regard sombre et grave, elle ajouta : « Peut-être y a-t-il dans les camps beaucoup de gens dans le même cas que toi.

— Mais non », affirma Anderton. Cependant, lui aussi commençait à se sentir mal à l'aise sur ce point. « Moi, j'ai pu voir la carte, examiner le rapport. C'est comme cela que tout est arrivé.

— Pourtant… » Lisa eut un geste éloquent. « Peut-être les autres auraient-ils tous réagi comme toi si on leur avait dit la vérité.

"It would have been too great a risk," he answered stubbornly.

Lisa laughed sharply. "Risk? Chance? Uncertainty? With precogs around?"

Anderton concentrated on steering the fast little ship. "This is a unique case," he repeated. "And we have an immediate problem. We can tackle the theoretical aspects later on. I have to get this tape to the proper people — before your bright young friend demolishes it."

"You're taking it to Kaplan?"

"I certainly am." He tapped the reel tape which lay on the seat between them. "He'll be interested. Proof that his life isn't in danger ought to be of vital concern to him."

From her purse, Lisa shakily got out her cigarette case. "And you think he'll help you."

"He may — or he may not. It's a chance worth taking."

"How did you manage to go underground so quickly?" Lisa asked. "A completely effective disguise is difficult to obtain."

"All it takes is money," he answered evasively.

As she smoked, Lisa pondered. "Probably Kaplan will protect you," she said. "He's quite powerful."

— Le risque aurait été trop grand», s'obstina-t-il.

Lisa eut un petit rire sans pitié. «Tu parles de risque, toi? De hasard? D'incertitude? Avec des précogs à demeure?»

Anderton se concentra sur le pilotage du petit croiseur rapide. «Le cas est unique, répéta-t-il. Et nous avons un problème urgent à résoudre. On réfléchira aux aspects théoriques plus tard. Il faut que je fasse parvenir cet enregistrement à certaines personnes... avant que ton jeune et brillant ami ne le détruise.

— Tu l'apportes à Kaplan?

— Certainement.» Il tapota la bande placée sur la banquette, entre eux deux. «Ça ne manquera pas de l'intéresser. C'est tout de même la preuve que sa vie n'est pas en danger; alors cela devrait même le passionner.»

Lisa sortit son étui à cigarettes de son sac. Ses mains tremblaient. «Et tu penses qu'il t'aidera.

— Peut-être. Mais peut-être pas. Cela vaut la peine de tenter le coup.

— Comment as-tu réussi à disparaître aussi vite? s'enquit Lisa. Il est pourtant difficile de se procurer un déguisement vraiment efficace.

— Il suffit d'avoir de l'argent», répondit-il évasivement.

Tout en fumant, Lisa méditait. «Kaplan te protégera sans doute. Il est très puissant.

"I thought he was only a retired general."

"Technically — that's what he is. But Witwer got out the dossier on him. Kaplan heads an unusual kind of exclusive veterans' organization. It's actually a kind of club, with a few restricted members. High officers only — an international class from both sides of the war. Here in New York they maintain a great mansion of a house, three glossy-paper publications, and occasional TV coverage that costs them a small fortune."

"What are you trying to say?"

"Only this. You've convinced me that you're innocent. I mean, it's obvious that you *won't* commit a murder. But you must realize now that the original report, the majority report, *was not a fake*. Nobody falsified it. Ed Witwer didn't create it. There's no plot against you, and there never was. If you're going to accept this minority report as genuine you'll have to accept the majority one, also."

Reluctantly, he agreed. "I suppose so."

"Ed Witwer," Lisa continued, "is acting in complete good faith. He really believes you're a potential criminal — and why not?

— Je croyais que ce n'était qu'un général en retraite.

— Théoriquement, c'est vrai. Mais Witwer a compulsé son dossier. Kaplan est à la tête d'une association très fermée d'anciens combattants. Une sorte de club peu banal, où ne sont admis que des officiers de haut grade… international, puisque les ex-ennemis y sont admis. Ils possèdent ici, à New York, une immense demeure, éditent trois luxueuses publications et s'offrent à l'occasion un peu de temps d'antenne à la télévision, ce qui leur coûte une petite fortune.

— Où veux-tu en venir ?

— Je veux simplement dire que tu m'as convaincue de ton innocence. Il est évident que tu ne t'apprêtes *pas* à commettre de meurtre. Toutefois, tu dois te dire à présent que le rapport original, le rapport majoritaire, *n'était pas un faux.* Personne ne l'a truqué. Il n'a pas été fabriqué par Witwer. Il n'y a pas de complot contre toi, et il n'y en a jamais eu. Si tu considères le rapport minoritaire comme authentique, tu dois également accepter le rapport majoritaire. »

Réticent, Anderton acquiesça : « Tu as sans doute raison. »

Lisa poursuivit : « Ed Witwer agit en toute bonne foi. Il croit sincèrement que tu es un criminel en puissance… Et pourquoi pas ?

He's got the majority report sitting on his desk, but you have that card folded up in your pocket."

"I destroyed it," Anderton said, quietly.

Lisa leaned earnestly toward him. "Ed Witwer isn't motivated by any desire to get your job," she said. "He's motivated by the same desire that has always dominated you. He believes in Precrime. He wants the system to continue. I've talked to him and I'm convinced he's telling the truth."

Anderton asked, "Do you want me to take this reel to Witwer? If I do — he'll destroy it."

"Nonsense," Lisa retorted. "The originals have been in his hands from the start. He could have destroyed them any time he wished."

"That's true." Anderton conceded. "Quite possibly he didn't know."

"Of course he didn't. Look at it this way. If Kaplan gets hold of that tape, the police will be discredited. Can't you see why? It would prove that the majority report was an error. Ed Witwer is absolutely right. You have to be taken in — if Precrime is to survive. You're thinking of your own safety. But think, for a moment, about the system." Leaning over, she stubbed out her cigarette and fumbled in her purse for another. "Which means more to you — your own personal safety or the existence of the system?"

"My safety," Anderton answered, without hesitation.

"You're positive?"

Le rapport majoritaire est sur son bureau, mais c'est toi qui as la carte perforée en poche.

— Je l'ai déchirée », fit calmement Anderton.

Sérieuse, Lisa se pencha vers lui. « Ed Witwer n'est pas animé par le désir de prendre ta place, mais par les motivations qui ont toujours été les tiennes. Il croit en Précrime. Il veut que le système se perpétue. Je lui ai parlé, et je suis certaine qu'il dit la vérité.

— Tu veux que je lui remette cette bande ? Il la détruira.

— Mais non, voyons, rétorqua Lisa. Il a les originaux à sa disposition depuis le début. Il aurait pu les détruire à tout moment.

— C'est juste, concéda Anderton. Il n'était peut-être pas au courant.

— Bien sûr que non. Réfléchis. Si Kaplan met la main sur cette bande, la police sera discréditée. Tu ne comprends donc pas ? Cela prouverait que le rapport majoritaire était erroné. Ed Witwer a parfaitement raison. Il faut que tu sois arrêté… si l'on veut que Précrime survive. Toi, tu ne penses qu'à ta propre sécurité. Mais pense un instant au système. » Elle éteignit sa cigarette et en chercha une autre dans son sac. « Qu'est-ce qui compte le plus pour toi… ta sécurité personnelle ou l'existence de Précrime ?

— Ma sécurité personnelle, répondit Anderton sans hésiter.

— Tu en es certain ?

"If the system can survive only by imprisoning innocent people, then it deserves to be destroyed. My personal safety is important because I'm a human being. And furthermore—"

From her purse, Lisa got out an incredibly tiny pistol. "I believe," she told him huskily, "that I have my finger on the firing release. I've never used a weapon like this before. But I'm willing to try."

After a pause, Anderton asked: "You want me to turn the ship around? Is that it?"

"Yes, back to the police building. I'm sorry. If you could put the good of the system above your own selfish—"

"Keep your sermon," Anderton told her. "I'll take the ship back. But I'm not going to listen to your defense of a code of behavior no intelligent man could subscribe to."

Lisa's lips pressed into a thin, bloodless line. Holding the pistol tightly, she sat facing him, her eyes fixed intently on him as he swung the ship in a broad arc. A few loose articles rattled from the glove compartment as the little craft turned on a radical slant, one wing rising majestically until it pointed straight up.

Both Anderton and his wife were supported by the constraining metal arms of their seats. But not so the third member of the party.

— Si Précrime ne peut survivre qu'en emprisonnant des innocents, c'est le système qui mérite d'être jeté à bas. Ma sécurité personnelle, elle, est importante parce que je suis un être humain. De plus… »

Lisa sortit de son sac un pistolet incroyablement petit… « Je crois, dit-elle d'une voix étouffée, que j'ai le doigt sur la détente. Je ne me suis jamais encore servi de cette arme, mais je suis toute disposée à essayer. »

Un silence. Puis Anderton lui demanda : « Tu veux que je fasse demi-tour ? C'est ça ?

— Oui. On retourne au siège de la police. Je regrette. Si tu avais pu placer le salut du système au-dessus de tes propres intérêts égoïstes…

— Rengaine ton sermon. Je fais demi-tour, d'accord, mais je refuse de t'entendre défendre un code de conduite auquel nul homme intelligent ne souscrirait. »

Les lèvres de Lisa se pincèrent, décolorées. Serrant le pistolet dans sa main, elle lui faisait face en le regardant intensément. Sous l'impulsion d'Anderton, le vaisseau décrivit un ample arc de cercle ; au moment où il vira en dressant majestueusement une aile vers le zénith, de menus objets tombèrent de la boîte à gants.

Anderton et sa femme étaient stabilisés par les bras métalliques de contention intégrés à leurs sièges. Mais ce n'était pas le cas du troisième passager.

Out of the corner of his eye, Anderton saw a flash of motion. A sound came simultaneously, the clawing struggle of a large man as he abruptly lost his footing and plunged into the reinforced wall of the ship. What followed happened quickly. Fleming scrambled instantly to his feet, lurching and wary, one arm lashing out for the woman's pistol. Anderton was too startled to cry out. Lisa turned, saw the man — and screamed. Fleming knocked the gun from her hand, sending it clattering to the floor.

Grunting, Fleming shoved her aside and retrieved the gun. "Sorry," he gasped, straightening up as best he could. "I thought she might talk more. That's why I waited."

"You were here when—" Anderton began — and stopped. It was obvious that Fleming and his men had kept him under surveillance. The existence of Lisa's ship had been duly noted and factored in, and while Lisa had debated whether it would be wise to fly him to safety, Fleming had crept into the storage compartment of the ship.

"Perhaps," Fleming said, "you'd better give me that reel of tape." His moist, clumsy fingers groped for it. "You're right — Witwer would have melted it down to a puddle."

"Kaplan, too?" Anderton asked numbly, still dazed by the appearance of the man.

Anderton surprit un mouvement du coin de l'œil. Simultanément, il y eut un bruit, celui d'un homme pesant se raccrochant pêle-mêle pour ne pas perdre l'équilibre, mais s'écrasant finalement contre le flanc renforcé du croiseur. Les événements s'enchaînèrent très rapidement. Fleming se remit immédiatement sur pied, instable mais aux aguets, et chercha à saisir le pistolet de Lisa. Anderton en resta trop ébahi pour pousser la moindre exclamation. Lisa se retourna, vit le troisième homme et cria. Fleming lui fit sauter l'arme des mains. L'objet roula bruyamment sur le sol.

Fleming écarta Lisa sans ménagement, puis récupéra le pistolet en grognant. « Désolé, fit-il en se redressant de son mieux. J'ai pensé qu'elle en dirait davantage, alors j'ai attendu.

— Vous étiez déjà là quand... » Anderton s'interrompit. Il était évident que Fleming et ses hommes l'avaient tenu sous surveillance. L'existence du croiseur de Lisa avait été notée, assimilée, et pendant que Lisa se demandait s'il était bien sage d'emmener son mari, Fleming s'y était glissé.

« Vous feriez mieux de me donner cette bande magnétique », dit ce dernier. Il tendit de gros doigts moites. « Vous aviez raison... Witwer l'aurait réduite en bouillie.

— Kaplan aussi ? questionna Anderton, encore sous le choc de l'apparition de Fleming.

"Kaplan is working directly with Witwer. That's why his name showed on line five of the card. Which one of them is the actual boss, we can't tell. Possibly neither." Fleming tossed the tiny pistol away and got out his own heavy-duty military weapon. "You pulled a real flub in taking off with this woman. I told you she was at the back of the whole thing."

"I can't believe that," Anderton protested. "If she—"

"You've got no sense. This ship was warmed up by Witwer's order. They wanted to fly you out of the building so that we couldn't get to you. With you on your own, separated from us, you didn't stand a chance."

A strange look passed over Lisa's stricken features. "It's not true," she whispered. "Witwer never saw this ship. I was going to supervise—"

"You almost got away with it," Fleming interrupted inexorably. "We'll be lucky if a police patrol ship isn't hanging on us. There wasn't time to check." He squatted down as he spoke, directly behind the woman's chair. "The first thing is to get this woman out of the way. We'll have to drag you completely out of this area.

— Kaplan travaille en liaison directe avec Witwer. C'est pour cela que son nom figurait à la cinquième ligne de la carte. Nous ne savons pas lequel des deux est le vrai patron. Ni l'un ni l'autre, peut-être. » Fleming jeta le minuscule pistolet et prit son arme personnelle, puissante et d'origine militaire. « Vous avez fait une belle ânerie en filant avec cette femme. Je vous avais bien dit qu'elle était derrière tout ça.

— Je n'arrive pas à y croire, protesta Anderton.

— Vous n'êtes pas très malin. C'est sur ordre de Witwer qu'on a préparé ce croiseur. Ils voulaient vous faire sortir du bâtiment par la voie des airs afin que nous ne puissions pas vous rejoindre. Sans nous, vous n'aviez plus la moindre chance. »

Une expression étrange passa sur le visage hagard de Lisa. « Ce n'est pas vrai, souffla-t-elle. Witwer n'a jamais vu ce croiseur. J'allais seulement inspecter les...

— Vous avez failli réussir, poursuivit inexorablement Fleming. Si nous n'avons pas de patrouilleur de police à nos trousses, nous aurons de la chance. On n'a pas eu le temps de vérifier. » Tout en parlant, il s'accroupit juste derrière le siège de Lisa. « La première chose à faire est de se débarrasser de cette femme. Il faudra qu'on vous fasse sortir de la région.

Page tipped off Witwer on your new disguise, and you can be sure it has been widely broadcast."

Still crouching, Fleming seized hold of Lisa. Tossing his heavy gun to Anderton, he expertly tilted her chin up until her temple was shoved back against the seat. Lisa clawed frantically at him; a thin, terrified wail rose in her throat. Ignoring her, Fleming closed his great hands around her neck and began relentlessly to squeeze.

"No bullet wound," he explained, gasping. "She's going to fall out — natural accident. It happens all the time. But in this case, her neck will be broken *first.*"

It seemed strange that Anderton had waited so long. As it was, Fleming's thick fingers were cruelly embedded in the woman's pale flesh before he lifted the blutt of the heavy-duty pistol and brought it down on the back of Fleming's skull. The monstrous hands relaxed. Staggered, Fleming's head fell forward and he sagged against the wall of the ship. Trying feebly to collect himself, he began dragging his body upward. Anderton hit him again, this time above the left eye. He fell back, and lay still.

Comme Page a décrit votre déguisement à Witwer, vous pouvez être sûr que tous les médias l'ont diffusé. »

Toujours accroupi, Fleming s'empara de Lisa. Il lança son arme imposante à Anderton, puis souleva de force le menton de Lisa jusqu'à ce que sa tempe soit collée contre le dossier du siège. Elle se débattit frénétiquement. Un son plaintif et terrifié s'échappa de sa gorge. Sans y prêter garde, Fleming referma ses grosses mains autour de son cou et entreprit de l'étrangler.

« Pas de blessure par balle, expliqua-t-il, haletant. Elle va tomber de l'appareil. Ce sera un accident banal. C'est fréquent. Mais dans ce cas précis… la nuque aura été brisée *avant* la chute. »

Curieusement, Anderton ne réagit pas tout de suite. Les doigts massifs de Fleming étaient déjà cruellement enfoncés dans la chair pâle de Lisa quand il abattit le lourd pistolet militaire sur la nuque de Fleming, dont les monstrueuses mains lâchèrent enfin prise. Fleming chancela, sa tête tomba en avant et il s'affala contre la paroi. Puis il voulut se reprendre et tenta faiblement de se redresser. Anderton le frappa à nouveau, cette fois au-dessus de l'œil gauche. L'autre bascula en arrière et ne bougea plus.

Struggling to breathe, Lisa remained for a moment huddled over, her body swaying back and forth. Then, gradually, the color crept back into her face.

"Can you take the controls?" Anderton asked, shaking her, his voice urgent.

"Yes, I think so." Almost mechanically she reached for the wheel. "I'll be all right. Don't worry about me."

"This pistol," Anderton said, "is Army ordnance issue. But it's not from the war. It's one of the useful new ones they've developed. I could be a long way off but there's just a chance—"

He climbed back to where Fleming lay spread out on the deck. Trying not to touch the man's head, he tore open his coat and rummaged in his pockets. A moment later Fleming's sweat-sodden wallet rested in his hands.

Tod Fleming, according to his identification, was an Army Major attached to the Internal Intelligence Department of Military Information. Among the various papers was a document signed by General Leopold Kaplan, stating that Fleming was under the special protection of his own group — the International Veterans' League.

Lisa cherchait son souffle. Elle resta un moment recroquevillée, à se balancer d'avant en arrière. Peu à peu, son visage reprit des couleurs.

« Tu peux prendre les commandes ? lui demanda Anderton d'un ton pressant en la secouant légèrement.

— Oui, je crois. » Un peu mécaniquement, elle prit le volant. « Ça ira. Ne t'inquiète pas pour moi.

— Ce pistolet, reprit Anderton, a été délivré par l'armée. Mais il ne date pas de la guerre. C'est au contraire une des toutes dernières armes mises au point. Je peux me tromper du tout au tout, mais il y a une petite chance pour que… »

Il passa par-dessus son siège et rejoignit Fleming, dont il ouvrit la veste et fouilla les poches en s'efforçant de ne pas toucher à sa tête. Un instant plus tard il tenait en main son portefeuille tout trempé de sueur.

Selon ses papiers d'identité, Tod Fleming était major dans l'Armée de terre et rattaché aux services secrets internes du Renseignement militaire. Parmi les nombreux documents se trouvait un certificat signé du général Leopold Kaplan, attestant que Fleming était sous la protection particulière de son groupe, la Ligue internationale des anciens combattants.

Fleming and his men were operating under Kaplan's orders. The bread truck, the accident, had been deliberately rigged.

It meant that Kaplan had deliberately kept him out of police hands. The plan went back to the original contact at his home, when Kaplan's men had picked him up as he was packing. Incredulous, he realized what had really happened. Even then, they were making sure they got him before the police. From the start, it had been an elaborate strategy to make certain that Witwer would fail to arrest him.

"You were telling the truth," Anderton said to his wife, as he climbed back in the seat. "Can we get hold of Witwer?"

Mutely, she nodded. Indicating the communications circuit of the dashboard, she asked: "What — did you find?"

"Get Witwer for me. I want to talk to him as soon as I can. It's very urgent."

Jerkily, she dialed, got the closed-channel mechanical circuit, and raised police headquarters in New York. A visual panorama of petty police officials flashed by before a tiny replica of Ed Witwer's features appeared on the screen.

"Remember me?" Anderton asked him.

Witwer blanched. "Good God. What happened? Lisa, are you bringing him in?" Abruptly his eyes fastened on the gun in Anderton's hands.

Fleming et ses hommes avaient donc agi sur les ordres de Kaplan. Le camion, l'accident, tout avait été prémédité.

Cela signifiait que Kaplan lui avait sciemment évité de tomber aux mains de la police. L'opération remontait au moment où les hommes de Kaplan avaient débarqué chez lui alors qu'il faisait ses bagages. Incrédule, il vit ce qui s'était réellement passé : en l'accaparant, ils devançaient la police. Dès le début, ils avaient tout fait pour que Witwer ne puisse pas l'arrêter. Anderton regagna son siège.

« Tu disais vrai, déclara-t-il à sa femme en revenant à sa place. On peut entrer en contact avec Witwer ? »

Elle acquiesça en silence et lui indiqua le circuit de communication du tableau de bord. « Qu'est-ce que tu as découvert ?

— Appelle-moi Witwer. Je veux lui parler le plus vite possible. C'est très urgent. »

Elle composa nerveusement un numéro et obtint le canal confidentiel du Q.G. de la police à New York. Après un plan d'ensemble sur une série de policiers de grade peu élevé, une minuscule réplique des traits d'Ed Witwer apparut sur l'écran.

« Vous vous souvenez de moi ? » dit Anderton.

Witwer blêmit. « Bon Dieu, qu'est-ce qui s'est passé ? Lisa, vous nous l'amenez ? » Soudain ses yeux s'arrêtèrent sur l'arme que tenait Anderton.

"Look," he said savagely, "don't do anything to her. Whatever you may think, she's not responsible."

"I've already found that out," Anderton answered. "Can you get a fix on us? We may need protection getting back."

"*Back!*" Witwer gazed at him unbelievingly. "You're coming in? You're giving yourself up?"

"I am, yes." Speaking rapidly, urgently, Anderton added, "There's something you must do immediately. Close off the monkey block. Make certain nobody gets in — Page or anyone else. *Especially Army people.*"

"Kaplan," the miniature image said.

"What about him?"

"He was here. He — he just left."

Anderton's heart stopped beating. "What was he doing?"

"Picking up data. Transcribing duplicates of our precog reports on you. He insisted he wanted them solely for his protection."

"Then he's already got it," Anderton said. "It's too late."

Alarmed, Witwer almost shouted: "Just what do you mean? What's happening?"

« Écoutez-moi ! dit-il sauvagement, ne lui faites pas de mal. Quoi que vous puissiez penser, elle n'y est pour rien.

— Ça, je le sais déjà, répondit Anderton. Pouvez-vous nous localiser ? On aura probablement besoin de protection sur le chemin du retour.

— *Vous revenez !* » Witwer le contempla avec incrédulité. « Vous vous rendez donc ?

— Mais oui. » D'une voix pressante, Anderton ajouta rapidement : « Il y a une mesure à prendre sans perdre une seconde : interdire le bâtiment des singes. Faire en sorte que personne n'y entre. Pas même Page. *Et surtout pas l'Armée.*

— Kaplan, fit l'image miniaturisée.

— Eh bien ?

— Il vient juste de partir. »

Le cœur d'Anderton s'arrêta. « Que faisait-il là ?

— Il a collecté des informations, transcrit des duplicatas des rapports précog vous concernant. Il prétendait qu'ils n'étaient destinés qu'à assurer sa propre protection.

— Alors il est déjà en sa possession, dit Anderton. Il est trop tard. »

Alarmé, Witwer rétorqua en haussant le ton : « Qu'est-ce que vous voulez dire ? Que se passe-t-il ?

"I'll tell you," Anderton said heavily, "when I get back to my office."

VIII

Witwer met him on the roof on the police building. As the small ship came to rest, a cloud of escort ships dipped their fins and sped off. Anderton immediately approached the blond-haired young man.

"You've got what you wanted," he told him. "You can lock me up, and send me to the detention camp. But that won't be enough."

Witwer's blue eyes were pale with uncertainty. "I'm afraid I don't understand—"

"It's not my fault. I should never have left the police building. Where's Wally Page?"

"We're already clamped down on him," Witwer replied. "He won't give us any trouble."

Anderton's face was grim.

"You're holding him for the wrong reason," he said. "Letting me into the monkey block was no crime. But passing information to Army is. You've had an Army plant working here." He corrected himself, a little lamely, "I mean, I have."

— Je vous le dirai, fit Anderton d'une voix accablée, quand je serai de retour dans mon bureau. »

VIII

Witwer vint à sa rencontre sur le toit de l'immeuble. Au moment où le petit croiseur se posa, sa flottille d'escorteurs s'inclina sur l'aile puis s'éloigna. Anderton s'approcha immédiatement du jeune homme blond.

« Vous avez ce que vous vouliez, dit-il. Vous pouvez m'arrêter et m'envoyer en camp de détention. Mais ce ne sera pas suffisant. »

Le regard bleu de Witwer pâlit d'incertitude. « Je… je ne comprends pas…

— Ce n'est pas ma faute. Je n'aurais jamais dû quitter le siège de la police. Où est Wally Page ?

— Nous le tenons, répondit Witwer. Il ne nous causera pas d'ennuis. »

Anderton se renfrogna.

« Vous ne l'avez pas arrêté pour le bon motif. Ce n'était pas un délit que de me faire entrer chez les singes. En revanche, il est illégal de communiquer des informations aux militaires. Vous avez entretenu ici une taupe de l'Armée. » Il rectifia gauchement : « Enfin, c'est moi qui ai travaillé avec lui.

"I've called back the order on you. Now the teams are looking for Kaplan."

"Any luck?"

"He left here in an Army truck. We followed him, but the truck got into a militarized Barracks. Now they've got a big wartime R-3 tank blocking the street. It would be civil war to move it aside."

Slowly, hesitantly, Lisa made her way from the ship. She was still pale and shaken and on her throat an ugly bruise was forming.

"What happened to you?" Witwer demanded. Then he caught sight of Fleming's inert form lying spread out inside. Facing Anderton squarely, he said: "Then you've finally stopped pretending this is some conspiracy of mine."

"I have."

"You don't think I'm—" He made a disgusted face. "*Plotting* to get your job."

"Sure you are. Everybody is guilty of that sort of thing. And I'm plotting to keep it. But this is something else — and you're not responsible."

"Why do you assert," Witwer inquired, "that it's too late to turn yourself in? My God, we'll put you in the camp. The week will pass and Kaplan will still be alive."

— J'ai annulé votre mandat d'arrêt. Maintenant, c'est Kaplan qu'on recherche.

— On l'a localisé ?

— Il est parti d'ici en camion militaire. On l'a suivi, mais il a pénétré dans une caserne de l'Armée de terre, et depuis un gros tank R-3 datant de la guerre en interdit l'accès. Le déloger, ce serait faire acte de guerre civile. »

Hésitante, Lisa s'écarta du croiseur. Elle était encore pâle et secouée, et une vilaine meurtrissure se formait sur sa gorge.

« Que vous est-il arrivé ? » s'enquit Witwer. Puis il aperçut le corps inerte gisant à l'intérieur. Il regarda Anderton dans les yeux : « Enfin vous renoncez à prétendre que je suis l'auteur d'un complot contre vous.

— En effet.

— Vous ne croyez plus que *j'intriguais* pour prendre votre place, fit-il avec une grimace de dégoût.

— Oh, mais si ! De cela, tout le monde se rend coupable tôt ou tard. Moi-même, j'intrigue pour la garder. Mais il s'agit ici de bien autre chose... et là, votre responsabilité n'est pas engagée.

— Pourquoi affirmez-vous qu'il est trop tard pour vous rendre ? On va vous envoyer en camp, et dans une semaine Kaplan sera toujours en vie.

"He'll be alive, yes," Anderton conceded. "But he can prove he'd be just as alive if I were walking the streets. He has the information that proves the majority report obsolete. He can break the Precrime system." He finished, "Heads or tails, he wins — and we lose. The Army discredits us; their strategy paid off."

"But why are they risking so much? What exactly do they want?"

"After the Anglo-Chinese War, the Army lost out. It isn't what it was in the good old AFWA days. They ran the complete show, both military and domestic. And they did their own police work."

"Like Fleming," Lisa said faintly.

"After the war, the Westbloc was demilitarized. Officers like Kaplan were retired and discarded. Nobody likes that." Anderton grimaced. "I can sympathize with him. He's not the only one. But we couldn't keep on running things that way. We had to divide up the authority."

"You say Kaplan has won," Witwer said. "Isn't there anything we can do?"

"I'm not going to kill him. We know it and he knows it. Probably he'll come around and offer us some kind of deal.

— Certes, admit Anderton, mais il peut prouver qu'il le serait aussi si je me promenais en liberté. Il détient les données montrant clairement que le rapport majoritaire est obsolète. Il peut provoquer l'effondrement de Précrime. Pile, il gagne, et face, nous perdons. L'Armée va nous déconsidérer ; sa stratégie aura triomphé.

— Mais pourquoi courent-ils un tel risque ? Que veulent-ils exactement ?

— Après la guerre anglo-chinoise, l'Armée a perdu beaucoup de son crédit. Elle n'est plus ce qu'elle était au bon vieux temps de l'Alliance fédérale du Bloc occidental. À l'époque elle détenait tous les pouvoirs aussi bien militaires que civils. Et elle faisait sa propre police.

— Comme Fleming, commenta faiblement Lisa.

— Après la guerre, le Bloc occidental a été démilitarisé. Les officiers comme Kaplan ont été écartés, mis d'office à la retraite. Or personne n'apprécie cela. » Anderton fit la grimace. « Je peux comprendre. Il n'est pas seul dans ce cas. Mais nous ne pouvions plus continuer ainsi. L'autorité devait être partagée.

— Vous dites que Kaplan a gagné, fit Witwer. Mais n'y a-t-il rien qu'on puisse faire ?

— En tout cas pas le supprimer. Et il le sait aussi bien que nous. Il va sans doute proposer une sorte de compromis.

We'll continue to function, but the Senate will abolish our real pull. You wouldn't like that, would you?"

"I should say not," Witwer answered emphatically. "One of these days I'm going to be running this agency." He flushed. "Not immediately, of course."

Anderton's expression was somber. "It's too bad you publicized the majority report. If you had kept it quiet, we could cautiously draw it back in. But everybody's heard about it. We can't retract it now."

"I guess not," Witwer admitted awkwardly. "Maybe I — don't have this job down as neatly as I imagined."

"You will, in time. You'll be a good police officer. You believe in the status quo. But learn to take it easy." Anderton moved away from them. "I'm going to study the data tapes of the majority report. I want to find out exactly how I was supposed to kill Kaplan." Reflectively, he finished: "It might give me some ideas."

The data tapes of the precogs "Donna" and "Mike" were separately stored. Choosing the machinery responsible for the analysis of "Donna," he opened the protective shield and laid out the contents. As before, the code informed him which reels were relevant and in a moment he had the tape-transport mechanism in operation.

1 Philip K. Dick, l’année de sa mort en 1982.

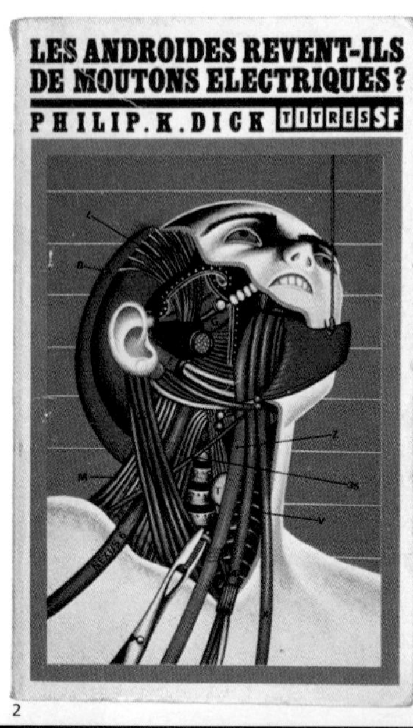

2

2 *Les Androïdes rêvent-ils de moutons électriques?* Couverture de l'ouvrage de Philip K. Dick écrit en 1966 et illustrée par Keleck, édition de 1979.

3 L'affiche du film de Ridley Scott, 1982. L'histoire est très fortement inspirée du roman *Les Androïdes rêvent-ils de moutons électriques ?* écrit en 1966 par Philip K. Dick auquel le film est dédié.

4 Film *Blade Runner* de Ridley Scott, sorti en 1982.

5

« Dans le contrat global que nous offrons, les souvenirs sont si profondément implantés que rien n'est oublié. »

« Fameux sérum de vérité votre truc, là ; cela m'a remis en mémoire des choses dont je n'avais absolument aucun souvenir. »

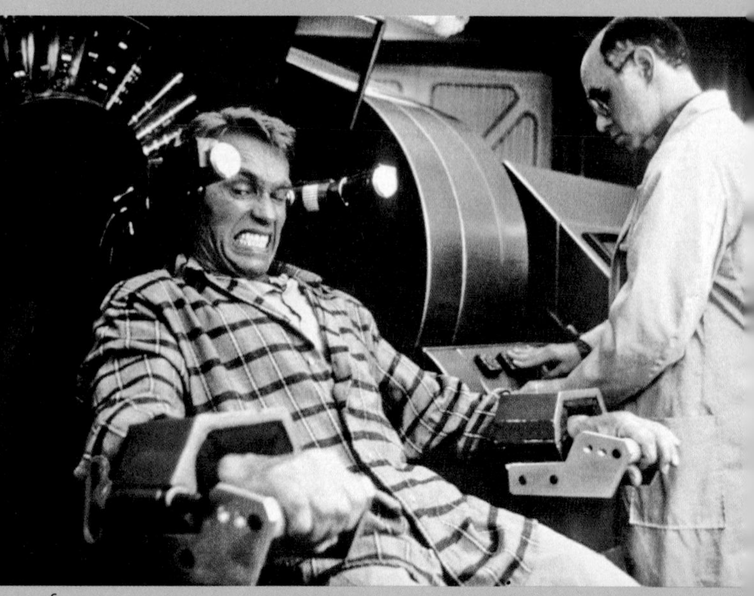

5 Affiche du film de Paul Verhoeven réalisé en 1990 avec Arnold Schwarzenegger d'après la nouvelle « Souvenirs à vendre » de Philip K. Dick.

6 et 7 Film *Total Recall* réalisé par Paul Verhoeven avec Arnold Schwarzenegger.

7

« Bien, monsieur ou madame selon le cas, acquiesça le chauffeur. Un instant plus tard, le taxi filait dans la direction opposée. »

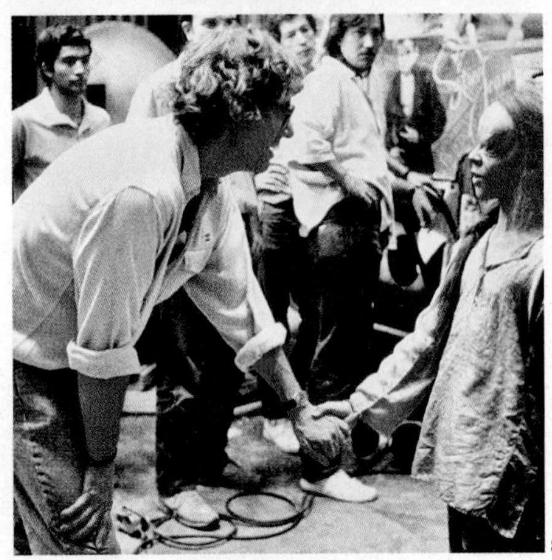

8

8 Plateau de tournage de *Total Recall* avec Paul Verhoeven en 1990.

9

9 Affiche du film *Minority Report* de Steven Spielberg, 2002, d'après la nouvelle éponyme de Philip K. Dick.

10 John Anderton (Tom Cruise) et son collègue (Neal McDonough) avec Witwer (Colin Farrell) envoyé du ministère de la Justice qui observe et évalue le projet Précrime.

11 John Anderton (Tom Cruise) et les trois précogs.

10

« Non, leur spectre est limité, rectifia Anderton. Une ou deux semaines maximum. Une grande partie des données qu'ils fournissent ne nous sont d'aucune utilité parce qu'elles sont sans rapport avec nos recherches. »

11

« Quelque chose clochait. Hébété, il tenta de mettre de l'ordre dans ses idées brusquement embrouillées. C'était son nom que révélait la carte. La ligne l'accusait d'un meurtre encore à venir. (...) John A. Anderton, directeur de Précrime, allait tuer un homme avant une semaine. »

12 Steven Spielberg et l'acteur Tom Cruise pendant le tournage du film *Minority Report.*

Crédits photographiques

1 : Hupp Philippe/Gamma/Eyedea. 2 : Coll. Jonas/Kharbine-Tapabor. 3, 4 : Ladd Company/Warner Bors/The Kobal Collection. 5, 6, 7, 8 Carolco/Tri-Star/ The Kobal Collection. 9 : 20th Century Fox/Album/Akg. 10 : 20th Century Fox/ Dreamworks/The Kobal Collection. 11 et *couverture* : 20th Century Fox/Album/AKG. 12 : Amblin/Dreamworks/The Kobal Collection.

Nous continuerons à exister, mais le Sénat nous retirera tout réel pouvoir. Et ça ne vous plairait guère, hein ?

— Non, fit Witwer avec force. Un de ces jours, c'est moi qui dirigerai cette organisation. » Il rougit. « Mais pas tout de suite, bien entendu. »

Anderton s'assombrit. « Dommage que vous ayez publié ce rapport majoritaire. Sinon, on aurait pu le faire disparaître discrètement. Maintenant, tout le monde connaît son existence. On ne peut plus démentir.

— Non, admit Witwer, mal à l'aise. Je... je ne suis peut-être pas aussi compétent à ce poste que je me l'imaginais.

— Ça viendra. Un jour, vous ferez un bon officier de police. Vous croyez au statu quo. Mais un conseil : apprenez à prendre les choses moins au tragique. » Anderton s'écarta. « Je vais étudier les bandes du rapport majoritaire. Je veux savoir exactement comment j'étais censé tuer Kaplan. » Pensif, il acheva : « Ça peut me donner des idées. »

Les bandes des précogs « Donna » et « Mike » étaient stockées séparément. Anderton choisit l'appareil chargé des analyses fournies par « Donna », ouvrit le bouclier protecteur et en étala le contenu devant lui. Là encore, les données codées lui désignèrent les bandes qui l'intéressaient, et en un instant il les avait placées dans le lecteur.

It was approximately what he had suspected. This was the material utilized by "Jerry" — the superseded time-path. In it Kaplan's Military Intelligence agents kidnapped Anderton as he drove home from work. Taken to Kaplan's villa, the organization GHQ of the International Veterans' League. Anderton was given an ultimatum: voluntarily disband the Precrime system or face open hostilities with Army.

In this discarded time-path, Anderton, as Police Commissioner, had turned to the Senate for support. No support was forthcoming. To avoid civil war, the Senate had ratified the dismemberment of the police system, and decreed a return to military law "to cope with the emergency." Taking a corps of fanatic police, Anderton had located Kaplan and shot him, along with other officials of the Veterans' League. Only Kaplan had died. The others had been patched up. And the coup had been successful.

This was "Donna." He rewound the tape and turned to the material previewed by "Mike." It would be identical; both precogs had combined to present a unified picture. "Mike" began as "Donna" had begun: Anderton had become aware of Kaplan's plot against the police. But something was wrong.

C'était en gros ce qu'il avait deviné. Il s'agissait des informations utilisées par « Jerry » — le sillon temporel rejeté où les agents du Renseignement militaire à la solde de Kaplan enlevaient Anderton comme il rentrait chez lui après le travail et l'emmenaient à la villa de Kaplan, Q.G. de la Ligue internationale des anciens combattants, où il recevait un ultimatum : démanteler le système Précrime ou se heurter à l'hostilité déclarée de l'Armée.

Dans ce sillon-là, en sa qualité de préfet de police, Anderton recherchait le soutien du Sénat, mais ce dernier le lui refusait. Pour éviter la guerre civile, les sénateurs ratifiaient la dissolution du système policier et décrétaient la loi martiale pour « faire face à l'état d'urgence ». Prenant avec lui un détachement de policiers fanatiques, Anderton localisait Kaplan et l'abattait, tirant aussi sur d'autres membres de la L.I.A.C. Mais seul Kaplan succombait. Les autres s'en sortaient. Et le coup d'État militaire réussissait.

Ça, c'était « Donna ». Il rembobina la bande et passa au rapport précog de « Mike ». Les deux devaient être identiques, puisque les mutants s'étaient accordés pour présenter le même tableau. En effet, « Mike » commençait comme « Donna » : Anderton apprenait l'existence d'une conspiration montée par Kaplan contre la police, mais là, quelque chose n'allait plus.

Puzzled, he ran the tape back to the beginning. Incomprehensibly, it didn't jibe. Again he relayed the tape, listening intently.

The "Mike" report was quite different from the "Donna" report.

An hour later, he had finished his examination, put away the tapes, and left the monkey block. As soon as he emerged, Witwer asked. "What's the matter? I can see something's wrong."

"No," Anderton answered slowly, still deep in thought. "Not exactly wrong." A sound came to his ears. He walked vaguely over to the window and peered out.

The street was crammed with people. Moving down the center lane was a four-column line of uniformed troops. Rifles, helmets... marching soldiers in their dingy wartime uniforms, carrying the cherished pennants of AFWA flapping in the cold afternoon wind.

"An Army rally," Witwer explained bleakly. "I was wrong. They're not going to make a deal with us. Why should they? Kaplan's going to make it public."

Anderton felt no surprise. "He's going to read the minority report?"

"Apparently. They're going to demand the Senate disband us, and take away our authority.

Interloqué, Anderton se repassa la bande depuis le début. C'était incompréhensible, mais « Mike » et « Donna » ne concordaient pas. Il réécouta l'enregistrement avec la plus grande attention.

Le rapport de « Mike » était très différent de celui de « Donna ».

Une heure plus tard, ayant terminé ses investigations il quittait le bâtiment des singes. Aussitôt, Witwer lui demanda : « Qu'y a-t-il ? Je vois bien que quelque chose cloche.

— Non, répondit lentement Anderton, songeur. Ce n'est pas tout à fait ça... » Entendant du bruit dehors, il se dirigea distraitement vers la fenêtre.

La rue grouillait de monde. Des soldats en uniforme avançaient en colonne par quatre au milieu de la chaussée. Fusil à l'épaule, casque vissé sur la tête, ils arboraient une tenue miteuse datant de la guerre, et le vent glacé faisait claquer les glorieux étendards de l'Alliance du Bloc occidental.

« Une parade militaire, constata Witwer, abattu. Je me suis donc trompé. Ils ne vont pas proposer de compromis. Pourquoi le feraient-ils, d'ailleurs ? Kaplan va rendre les faits publics. »

Anderton n'éprouvait aucune surprise. « Il va lire le rapport minoritaire ?

— Apparemment. Ils vont exiger que le Sénat nous dissolve et nous retire toute autorité.

They're going to claim we've been arresting innocent men — nocturnal police raids, that sort of thing. Rule by terror."

"You suppose the Senate will yield?"

Witwer hesitated. "I wouldn't want to guess."

"I'll guess," Anderton said. "They will. That business out there fits with what I learned downstairs. We've got ourselves boxed in and there's only one direction we can go. Whether we like it or not, we'll have to take it." His eyes had a steely glint.

Apprehensively, Witwer asked: "What is it?"

"Once I say it, you'll wonder why you didn't invent it. Very obviously, I'm going to have to fulfill the publicized report. I'm going to have to kill Kaplan. That's the only way we can keep them from discrediting us."

"But," Witwer said, astonished, "the majority report has been superseded."

"I can do it," Anderton informed him, "but it's going to cost. You're familiar with the statutes governing first-degree murder?"

"Life imprisonment."

"At least. Probably, you could pull a few wires and get it commuted to exile. I could be sent to one of the colony planets, the good old frontier."

Prétendre que nous avons arrêté des innocents, multiplié les descentes de police nocturnes, ce genre de chose. Que nous avons gouverné par la terreur.

— Vous pensez que le Sénat cédera ? »

Witwer hésita. « Je ne parierais pas là-dessus.

— Moi si, dit Anderton. Ce qui se passe en bas colle bien avec ce que j'ai appris chez les singes. Nous nous sommes fichus dans une impasse. Il ne nous reste plus qu'une issue. Qu'elle nous plaise ou non. » Ses yeux avaient l'éclat et la dureté de l'acier.

Inquiet, Witwer demanda : « Quelle issue ?

— Quand je vous l'aurai dit, vous vous demanderez pourquoi vous n'y avez pas songé vous-même. De toute évidence, je suis obligé de me conformer au rapport publié. Il faut que je tue Kaplan. C'est la seule façon d'empêcher l'Armée de nous discréditer.

— Mais..., fit Witwer, stupéfait, ce rapport majoritaire a été rejeté.

— Je peux le faire, rétorqua Anderton, mais ça nous coûtera cher. Vous savez ce qu'on risque en cas de meurtre avec préméditation ?

— C'est la prison à perpétuité.

— Au moins. Vous pourriez sans doute user de votre influence pour faire commuer ma peine en exil définitif. On m'enverra sur une des planètes coloniales mener une existence de pionnier.

"Would you — prefer that?"

"Hell, no," Anderton said heartily. "But it would be the lesser of the two evils. And it's got to be done."

"I don't see how you can kill Kaplan."

Anderton got out the heavy-duty military weapon Fleming had tossed to him. "I'll use this."

"They won't stop you?"

"Why should they? They've got that minority report that says I've changed my mind."

"Then the minority report is incorrect?"

"No," Anderton said, "it's absolutely correct. But I'm going to murder Kaplan anyhow."

IX

He had never killed a man. He had never even seen a man killed. And he had been Police Commissioner for thirty years. For this generation, deliberate murder had died out. It simply didn't happen.

A police car carried him to within a block of the Army rally. There, in the shadows of the back seat, he painstakingly examined the pistol Fleming had provided him. It seemed to be intact. Actually, there was no doubt of the outcome. He was absolutely certain of what would happen within the next half hour.

— Et… vous préféreriez cela ?

— Bon Dieu non ! dit Anderton avec vigueur. Mais ce serait un moindre mal. Et il faut que ce soit fait.

— Je ne vois pas comment vous pourriez tuer Kaplan. »

Anderton soupesa le pistolet militaire de Fleming. « Avec ça.

— Ils vous laisseront approcher Kaplan ?

— Pourquoi pas ? Ils ont le rapport minoritaire affirmant que j'ai changé d'avis.

— Alors le rapport minoritaire est erroné ?

— Non. Il est rigoureusement exact. Mais je vais quand même tuer Kaplan. »

IX

Il n'avait jamais tué personne. Il n'avait même jamais assisté au moindre crime de sang. Alors qu'il était préfet de police depuis trente ans. Depuis une génération, le meurtre n'existait plus ; cela n'arrivait plus, tout simplement.

Une voiture de police le conduisit à une centaine de mètres du défilé militaire. Tapi sur le siège arrière, il examina laborieusement l'arme qu'il tenait de Fleming. Elle paraissait en parfait état. En fait, il ne doutait pas du résultat. Il était absolument certain de ce qui allait se passer durant les trente minutes à venir.

Putting the pistol back together, he opened the door of the parked car and stepped warily out.

Nobody paid the slightest attention to him. Surging masses of people pushed eagerly forward, trying to get within hearing distance of the rally. Army uniforms predominated and at the perimeter of the cleared area, a line of tanks and major weapons was displayed — formidable armament still in production.

Army had erected a metal speaker's stand and ascending steps. Behind the stand hung the vast AFWA banner, emblem of the combined powers that had fought in the war. By a curious corrosion of time, the AFWA Veterans' League included officers from the wartime enemy. But a general was a general and fine distinctions had faded over the years.

Occupying the first rows of seats sat the high brass of the AFWA command. Behind them came junior commissioned officers. Regimental banners swirled in a variety of colors and symbols. In fact, the occasion had taken on the aspect of a festive pageant. On the raised stand itself sat stern-faced dignitaries of the Veterans' League, all of them tense with expectancy.

Il rempocha le pistolet et descendit prudemment de voiture.

Personne ne fit attention à lui. Une foule de plus en plus nombreuse se pressait pour approcher du défilé et savoir ce qui se passait. Les uniformes prédominaient, et à la périphérie du périmètre dégagé étaient déployés chars d'assaut et armes lourdes — tous moyens offensifs qu'on continuait à produire.

L'Armée avait érigé une estrade métallique, à laquelle on accédait par quelques marches. Derrière flottait un grand étendard du Bloc occidental, emblème des puissances alliées qui avaient combattu pendant la guerre. Grâce à un étrange phénomène d'érosion, la L.I.A.C. comprenait maintenant des officiers ayant servi dans les rangs ennemis. Mais un général reste un général, et le temps avait effacé ce genre de distinction.

Le haut commandement de la Ligue occupait les premiers rangs; derrière venaient les officiers de grade inférieur. Les étendards des différents régiments ondulaient au gré du vent en étalant leurs couleurs et leurs écussons. En définitive, ce rassemblement avait des allures de reconstitution historique relativement joyeuse. Sur l'estrade proprement dite étaient assis des dignitaires de la Ligue dont les visages trahissaient toute l'impatience.

At the extreme edges, almost unnoticed, waited a few police units, ostensibly to keep order. Actually, they were informants making observations. If order were kept, the Army would maintain it.

The late-afternoon wind carried the muffled booming of many people packed tightly together. As Anderton made his way through the dense mob he was engulfed by the solid presence of humanity. An eager sense of anticipation held everybody rigid. The crowd seemed to sense that something spectacular was on the way. With difficulty, Anderton forced his way past the rows of seats and over to the tight knot of Army officials at the edge of the platform.

Kaplan was among them. But he was now General Kaplan.

The vest, the gold pocket watch, the cane, the conservative business suit — all were gone. For this event, Kaplan had got his old uniform from its mothballs. Straight and impressive, he stood surrounded by what had been his general staff. He wore his service bars, his metals, his boots, his decorative short-sword, and his visored cap. It was amazing how transformed a bald man became under the stark potency of an officer's peaked and visored cap.

Sur les côtés, presque invisibles, quelques brigades de police ostensiblement là pour maintenir l'ordre mais constituées en réalité d'informateurs ayant pour mission d'observer tout ce qui se passait. Si l'on avait besoin de maintenir l'ordre, l'Armée s'en chargerait.

Le vent de cette fin d'après-midi charriait le grondement assourdi de la foule compacte, à travers laquelle Anderton se fraya un passage en ayant l'impression de se noyer dans une véritable mer humaine. Figés par l'attente, les gens paraissaient pressentir qu'un événement spectaculaire allait se produire. Anderton s'ouvrit un passage parmi eux non sans difficulté, laissa derrière lui les rangées de sièges et arriva enfin au niveau des officiers de haut rang, au bord de l'estrade.

Kaplan était parmi eux. Mais c'était désormais le général Kaplan.

Gilet, montre de gousset, canne et discret costume civil… tout cela avait disparu. Pour l'occasion, Kaplan avait ressorti son vieil uniforme de la naphtaline. Très droit, imposant, il était entouré de son ex-état-major et arborait ses galons et autres décorations ; il portait bottes militaires, épée de parade et képi. Incroyable comme un képi de général, dans toute son austère autorité, pouvait transformer un homme au crâne dégarni.

Noticing Anderton, General Kaplan broke away from the group and strode to where the younger man was standing. The expression on his thin, mobile countenance showed how incredulously glad he was to see the Commissioner of Police.

"This is a surprise," he informed Anderton, holding out his small gray-gloved hand. "It was my impression you had been taken in by the acting Commissioner."

"I'm still out," Anderton answered shortly, shaking hands. "After all, Witwer has that same reel of tape." He indicated the package Kaplan clutched in his steely fingers and met the man's gaze confidently.

In spite of his nervousness, General Kaplan was in good humor. "This is a great occasion for the Army," he revealed. "You'll be glad to hear I'm going to give the public a full account of the spurious charge brought against you."

"Fine," Anderton answered noncommittally.

"It will be made clear that you were unjustly accused." General Kaplan was trying to discover what Anderton knew. "Did Fleming have an opportunity to acquaint you with the situation?"

"To some degree," Anderton replied. "You're going to read only the minority report? That's all you've got there?"

Apercevant Anderton, Kaplan se détacha et s'approcha de lui à grands pas. Son expression constamment changeante reflétait son étonnement et sa satisfaction.

« Quelle surprise ! dit-il, en tendant une petite main gantée de gris. Et moi qui vous croyais arrêté par le préfet intérimaire !

— Je suis toujours en liberté, répliqua brièvement Anderton en serrant sa main tendue. Après tout, Witwer possède aussi la bande magnétique. » Il désigna le paquet que Kaplan serrait dans sa main gauche et regarda le général avec assurance.

En dépit de sa nervosité, le général Kaplan était de bonne humeur. « C'est un grand jour pour l'Armée, confia-t-il. Vous serez heureux d'apprendre que je vais livrer au public le compte rendu détaillé de la fausse accusation portée contre vous.

— Parfait, dit Anderton d'un ton neutre.

— Il sera clairement démontré que vous avez été injustement accusé. » Le général Kaplan essayait de savoir jusqu'à quel point Anderton était au courant de la situation. « Fleming a-t-il eu l'occasion de tout vous expliquer ?

— Plus ou moins. Vous n'allez lire que le rapport minoritaire ? C'est tout ce que vous avez là ?

"I'm going to compare it to the majority report." General Kaplan signalled an aide and a leather briefcase was produced. "Everything is here — all the evidence we need," he said. "You don't mind being an example, do you? Your case symbolizes the unjust arrests of countless individuals." Stiffly, General Kaplan examined his wristwatch. "I must begin. Will you join me on the platform?"

"Why?"

Coldly, but with a kind of repressed vehemence, General Kaplan said: "So they can see the living proof. You and I together — the killer and his victim. Standing side by side, exposing the whole sinister fraud which the police have been operating."

"Gladly," Anderton agreed. "What are we waiting for?"

Disconcerted, General Kaplan moved toward the platform. Again, he glanced uneasily at Anderton, as if visibly wondering why he had appeared and what he really knew. His uncertainty grew as Anderton willingly mounted the steps of the platform and found himself a seat directly beside the speaker's podium.

"You fully comprehend what I'm going to be saying?" General Kaplan demanded. "The exposure will have considerable repercussions.

— Je vais le comparer au rapport majoritaire. » Le général Kaplan fit signe à un aide de camp, qui lui apporta une serviette en cuir. « Tout est là, toutes les pièces à conviction dont nous avons besoin. Cela ne vous dérange pas d'être cité comme exemple, j'espère ? Votre cas illustre les arrestations injustifiées dont ont été victimes une multitude de gens innocents. » Kaplan consulta sa montre d'un geste plein de raideur. « Je dois y aller. Voulez-vous venir avec moi sur l'estrade ?

— Pourquoi ? »

Froidement, mais avec une espèce de véhémence contenue, le général Kaplan répondit : « Pour que tout le monde voie la preuve vivante de ce que j'avance. Le meurtrier et sa victime. Debout côte à côte, dévoilant toute la sinistre et terrible supercherie entretenue par la police.

— Volontiers, dit Anderton. Qu'est-ce qu'on attend ? »

Déconcerté, le général Kaplan s'avança vers l'estrade. Il jeta encore un regard inquiet à Anderton, se demandant visiblement pourquoi le préfet était venu, et ce qu'il savait au juste. Son incertitude s'accrut tandis qu'Anderton gravissait les marches et se trouvait un siège juste à côté de la tribune.

« Vous saisissez bien la portée de ce que je vais annoncer ? s'enquit le général. Mes révélations auront des répercussions considérables.

It may cause the Senate to reconsider the basic validity of the Precrime system."

"I understand," Anderton answered, arms folded. "Let's go."

A hush had descended on the crowd. But there was a restless, eager stirring when General Kaplan obtained the briefcase and began arranging his material in front of him.

"The man sitting at my side," he began, in a clean, clipped voice, "is familiar to you all. You may be surprised to see him, for until recently he was described by the police as a dangerous killer."

The eyes of the crowd focused on Anderton. Avidly, they peered at the only potential killer they had ever been privileged to see at close range.

"Within the last few hours, however," General Kaplan continued, "the police order for his arrest has been cancelled; because former Commissioner Anderton voluntarily gave himself up? No, that is not strictly accurate. He is sitting here. He has not given himself up, but the police are no longer interested in him. John Allison Anderton is innocent of any crime in the past, present, and future. The allegations against him were patent frauds, diabolical distortions of a contaminated penal system based on a false premise —

Le Sénat sera peut-être amené à reconsidérer la validité fondamentale du système Précrime.

— Je saisis, dit Anderton, les bras croisés. Allons-y. »

Le silence s'était fait dans la foule, mais il y eut une rumeur d'excitation lorsque le général Kaplan reprit la serviette en cuir et disposa son contenu devant lui.

« L'homme assis à mes côtés, commença-t-il d'une voix claire, est connu de vous tous. Vous êtes sans doute surpris de le voir, car tout récemment encore la police le considérait comme un dangereux criminel. »

Tous les yeux se reportèrent sur Anderton. On examinait avidement le seul et unique meurtrier en puissance qu'on ait jamais eu le privilège de voir de près.

« Toutefois, depuis quelques heures, poursuivit le général, l'ordre d'arrestation le concernant a été annulé ; est-ce parce que l'ex-préfet Anderton s'est volontairement rendu ? Non, ce n'est pas à strictement parler exact. S'il est ici, ce n'est pas parce qu'il s'est rendu, mais parce que la police ne s'intéresse plus à lui. John Allison Anderton est innocent de tout crime, passé, présent ou à venir. Les allégations formulées contre lui étaient des faux, des déformations diaboliques issues d'un système pénal fondé sur des prémisses fausses —

a vast, impersonal engine of destruction grinding men and women to their doom."

Fascinated, the crowd glanced from Kaplan to Anderton. Everyone was familiar with the basic situation.

"Many men have been seized and imprisoned under the so-called prophylactic Precrime structure," General Kaplan continued, his voice gaining feeling and strength. "Accused not of crime they have committed, *but of crimes they will commit.* It is asserted that these men, if allowed to remain free, will at some future time commit felonies."

"But there can be no valid knowledge about the future. As soon as precognitive information is obtained, *it cancels itself out.* The assertion that this man will commit a future crime is paradoxical. The very act of possessing this data renders it spurious. In every case, without exception, the report of the three police precogs has invalidated their own data. If no arrests had been made, there would still have been no crimes committed."

une machine à détruire gigantesque et impersonnelle qui a broyé une multitude d'innocents. »

Fascinée, la foule regardait à tour de rôle Kaplan et Anderton. La situation lui était familière.

« Oui, beaucoup d'hommes et de femmes ont été arrêtés et emprisonnés par la faute de Précrime, cette organisation qui se prétend prophylactique, poursuivit Kaplan, dont la voix gagnait peu à peu en chaleur et en force. Accusés, non pas de crimes qu'ils avaient commis, mais de crimes *qu'ils allaient commettre.* On nous affirme que, laissés en liberté, ces gens se seraient tôt ou tard rendus coupables d'actes criminels.

« Mais il ne peut pas y avoir de réelle connaissance du futur. Dès qu'une information précognitive est livrée, *elle s'annule d'elle-même.* L'affirmation selon laquelle cet homme commettra un crime dans l'avenir est un paradoxe. Le simple fait de posséder cette donnée la fausse. Dans tous les cas, sans exception, le rapport des trois précogs a toujours invalidé les données qu'ils avaient eux-mêmes fournies. Si personne n'avait été arrêté, les crimes prédits n'auraient pas été commis non plus. »

Anderton listened idly, only half-hearing the words. The crowd, however, listened with great interest. General Kaplan was now gathering up a summary made from the minority report. He explained what it was and how it had come into existence.

From his coat pocket, Anderton slipped out his gun and held it in his lap. Already, Kaplan was laying aside the minority report, the precognitive material obtained from "Jerry." His lean, bony fingers groped for the summary of first, "Donna," and after that, "Mike."

"This was the original majority report," he explained. "The assertion, made by the first two precogs, that Anderton would commit a murder. Now here is the automatically invalidated material. I shall read it to you." He whipped out his rimless glasses, fitted them to his nose, and started slowly to read.

A queer expression appeared on his face. He halted, stammered, and abruptly broke off. The papers fluttered from his hands. Like a cornered animal, he spun, crouched, and dashed from the speaker's stand.

For an instant his distorted face flashed past Anderton. On his feet now, Anderton raised the gun, stepped quickly forward, and fired.

Anderton écoutait distraitement, mais la foule, elle, prêtait un intérêt passionné au discours de Kaplan, qui livrait à présent un résumé du rapport minoritaire. Il expliquait ce que c'était, comment il pouvait exister.

Anderton sortit son arme de sa poche et la posa sur ses genoux. Déjà Kaplan mettait de côté le rapport minoritaire, c'est-à-dire les données précog de « Jerry ». De ses doigts osseux, il chercha d'abord le résumé du rapport « Donna », puis celui du rapport « Mike ».

« Voici le rapport majoritaire original, expliqua-t-il. L'affirmation, par les deux premiers précogs, selon laquelle Anderton allait commettre un meurtre. Et maintenant, voici le matériau automatiquement invalidé. Je vais vous le lire. » Il ramassa prestement ses lunettes sans monture, les chaussa et entama lentement sa lecture.

Une étrange expression se peignit sur ses traits. Il s'interrompit, balbutia, puis se tut brusquement. Les papiers lui échappèrent des mains. Telle une bête traquée, il fit volte-face, rentra la tête dans les épaules, puis s'éloigna précipitamment de la tribune.

Son visage crispé passa durant une fraction de seconde devant Anderton, qui s'était levé à son tour. Le préfet braqua son arme, fit rapidement quelques pas en avant et tira.

Tangled up in the rows of feet projecting from the chairs that filled the platform, Kaplan gave a single shrill shriek of agony and fright. Like a ruined bird, he tumbled, fluttering and flailing, from the platform to the ground below. Anderton stepped to the railing, but it was already over.

Kaplan, as the majority report had asserted, was dead. His thin chest was a smoking cavity of darkness, crumbling ash that broke loose as the body lay twitching.

Sickened, Anderton turned away, and moved quickly between the rising figures of stunned Army officers. The gun, which he still held, guaranteed that he would not be interfered with. He leaped from the platform and edged into the chaotic mass of people at its bass. Stricken, horrified, they struggled to see what had happened. The incident, occurring before their very eyes, was incomprehensible. It would take time for acceptance to replace blind terror.

At the periphery of the crowd, Anderton was seized by the waiting police. "You're lucky to get out," one of them whispered to him as the car crept cautiously ahead.

"I guess I am," Anderton replied remotely. He settled back and tried to compose himself. He was trembling and dizzy. Abruptly, he leaned forward and was violently sick.

Emberlificoté dans les pieds des gens assis sur l'estrade, Kaplan poussa un unique cri aigu — un cri de terreur. Comme un oiseau abattu en plein vol, il tomba de l'estrade en battant des bras. Anderton s'approcha de la rambarde, mais tout était déjà fini.

Kaplan était mort, ainsi que le rapport majoritaire l'avait prédit. Sa maigre poitrine n'était plus qu'un trou fumant dont des cendres s'échappaient au gré des tressaillements du corps.

Écœuré, Anderton se détourna et se faufila sans attendre entre les officiers qui se levaient de leur siège, stupéfaits. L'arme était sa meilleure protection. Il sauta au bas de l'estrade et s'enfonça dans la foule désordonnée qui se pressait pour mieux voir. L'incident qui s'était produit sous leurs yeux leur était totalement incompréhensible, et il faudrait du temps pour que la terreur panique cède la place à l'acceptation.

Quand il parvint en marge de la foule, Anderton fut pris en charge par la police. « Vous avez eu de la chance de vous en sortir, souffla un des agents comme la voiture démarrait lentement.

— En effet », dit Anderton, distant. Il se cala contre son dossier et tenta de se donner une contenance. Il tremblait, la tête lui tournait. Brusquement, il se pencha en avant et s'abandonna à de violentes nausées.

"The poor devil," one of the cops murmured sympathetically.

Through the swirls of misery and nausea, Anderton was unable to tell whether the cop was referring to Kaplan or to himself.

X

Four burly policemen assisted Lisa and John Anderton in the packing and loading of their possessions. In fifty years, the ex-Commissioner of Police had accumulated a vast collection of material goods. Somber and pensive, he stood watching the procession of crates on their way to the waiting trucks.

By truck they would go directly to the field — and from there to Centaurus X by intersystem transport. A long trip for an old man. But he wouldn't have to make it back.

"There goes the second from the last crate," Lisa declared, absorbed and preoccupied by the task. In sweater and slacks, she roamed through the barren rooms, checking on last-minute details. "I suppose we won't be able to use these new atronic appliances. They're still using electricity on Centten."

"I hope you don't care too much," Anderton said.

« Pauvre diable », murmura un des policiers d'une voix compatissante.

Secoué par le malaise physique et moral, Anderton ne put déterminer si le policier parlait de Kaplan ou de lui-même.

X

Quatre robustes policiers aidèrent John et Lisa Anderton à emballer leurs affaires et à les charger dans les camions. C'est qu'en cinquante années, l'ex-préfet de police avait accumulé beaucoup de biens matériels. Sombre et pensif, il regarda les caisses défiler devant lui en direction des véhicules en attente.

Ensuite ils iraient directement au spatioport, et de là sur Centaure X par transport intersystèmes. Un bien long voyage, pour un si vieil homme. Mais un voyage sans retour.

« C'est l'avant-dernière caisse », déclara Lisa, tout à sa tâche. En pull et pantalon, elle parcourait les pièces nues, vérifiait les derniers détails. « Je suppose qu'on ne pourra pas se servir de nos nouveaux appareils ménagers atroniques. Sur Cen-X, ils en sont encore à l'électricité.

— J'espère que ça ne t'ennuie pas trop, dit Anderton.

"We'll get used to it," Lisa replied, and gave him a fleeting smile. "Won't we?"

"I hope so. You're positive you'll have no regrets. If I thought—"

"No regrets," Lisa assured him. "Now suppose you help me with this crate."

As they boarded the lead truck, Witwer drove up in a patrol car. He leaped out and hurried up to them, his face looking strangely haggard. "Before you take off," he said to Anderton, "you'll have to give me a break-down on the situation with the precogs. I'm getting inquiries from the Senate. They want to find out if the middle report, the retraction, was an error — or what." Confusedly, he finished: "I still can't explain it. The minority report was wrong, wasn't it?"

"Which minority report?" Anderton inquired, amused.

Witwer blinked. "Then that *is* it. I might have known."

Seated in the cabin of the truck, Anderton got out his pipe and shook tobacco into it. With Lisa's lighter he ignited the tobacco and began operations. Lisa had gone back to the house, wanting to be sure nothing vital had been overlooked.

"There were three minority reports," he told Witwer, enjoying the young man's confusion.

— On s'y fera, répliqua Lisa avec un sourire fugace. N'est-ce pas ?

— Je l'espère. Tu es certaine que tu ne regretteras pas ? Parce que sinon…

— Pas de regrets, affirma Lisa. Aide-moi à fermer cette caisse, tu veux ? »

Au moment où ils allaient monter dans le camion de tête, Witwer arriva à bord d'une voiture de patrouille. Il vint les rejoindre en courant, l'air étrangement hagard. « Avant de partir, dit-il à Anderton, il faut que vous me clarifiiez la situation concernant les précogs. Le Sénat me pose des questions. On veut savoir si le rapport moyen, la rétractation, était une erreur… ou quoi. » Confusément, il ajouta : « C'est quelque chose que je n'arrive toujours pas à m'expliquer. Le rapport minoritaire était bien erroné, n'est-ce pas ?

— Quel rapport minoritaire ? » fit Anderton, amusé.

Witwer cilla. « C'était donc *ça*. J'aurais dû comprendre. »

Assis sur le siège avant du camion, Anderton bourra sa pipe et l'alluma avec le briquet de Lisa, qui était retournée voir si rien de vital n'avait été oublié dans la maison.

« Il y avait trois rapports minoritaires », dit-il à Witwer en jouissant de sa perplexité.

Someday, Witwer would learn not to wade into situations he didn't fully understand. Satisfaction was Anderton's final emotion. Old and worn-out as he was, he had been the only one to grasp the real nature of the problem.

"The three reports were consecutive," he explained. "The first was 'Donna.' In that time-path, Kaplan told me of the plot, and I promptly murdered him. 'Jerry,' phased slightly ahead of 'Donna,' used her report as data. He factored in my knowledge of the report. In that, the second time-path, all I wanted to do was to keep my job. It wasn't Kaplan I wanted to kill. It was my own position and life I was interested in."

"And 'Mike' was the third report? That came *after* the minority report?" Witwer corrected himself. "I mean, it came last?"

"'Mike' was the last of the three, yes. Faced with the knowledge of the first report, I had decided *not* to kill Kaplan. That produced report two. But faced with *that* report, I changed my mind back. Report two, situation two, was the situation Kaplan wanted to create. It was to the advantage of the police to recreate position one. And by that time I was thinking of the police. I had figured out what Kaplan was doing.

Un jour, le jeune homme apprendrait à ne pas se jeter tête baissée dans des situations qu'il ne comprenait pas entièrement. Pour Anderton, l'affaire se concluait sur une note de satisfaction. Malgré son âge et sa lassitude, lui seul avait compris la véritable nature du problème.

« Les trois rapports étaient consécutifs, expliqua-t-il. Le premier était celui de "Donna". Dans ce sillon temporel-là, Kaplan m'avisait du complot militaire et je l'assassinais promptement. "Jerry", phasé légèrement en avant de "Donna", s'est servi de son rapport à elle et a intégré le fait que j'en avais pris connaissance. Dans le deuxième sillon, tout ce que je voulais, c'était garder mon poste, sans tuer Kaplan. Je ne m'intéressais qu'à ma place, à mon propre sort.

— Et "Mike" était le troisième rapport ? Venu *après* le rapport minoritaire ? » Witwer se reprit : « Je veux dire qu'il s'est présenté en dernier ?

— "Mike" était le dernier des trois, en effet. Au vu du premier rapport, j'avais décidé de ne pas tuer Kaplan. D'où le deuxième rapport. Mais, informé par ce *deuxième* rapport, je changeais d'avis. Le deuxième rapport, la deuxième situation, représentaient les circonstances que Kaplan désirait créer. L'intérêt de la police était de recréer la situation numéro un. Et c'était à la police que je pensais alors. J'avais compris le projet de Kaplan.

The third report invalidated the second one in the same way the second one invalidated the first. That brought us back where we started from."

Lisa came over, breathless and gasping. "Let's go — we're all finished here." Lithe and agile, she ascended the metal rungs of the truck and squeezed in beside her husband and the driver. The latter obediently started up his truck and the others followed.

"Each report was different," Anderton concluded. "Each was unique. But two of them agreed on one point. If left free, *I would kill Kaplan*. That created the illusion of a majority report. Actually, that's all it was — an illusion. 'Donna' and 'Mike' previewed the same event — but in two totally different time-paths, occurring under totally different situations. 'Donna' and 'Jerry', the so-called minority report and half of the majority report, were incorrect. Of the three, 'Mike' was correct — since no report came after his, to invalidate him. That sums it up."

Anxiously, Witwer trotted along beside the truck, his smooth, blond face creased with worry. "Will it happen again? Should we overhaul the set-up?"

"It can happen in only one circumstance," Anderton said. "My case was unique, since I had access to the data. It *could* happen again — but only to the next Police Commissioner. So watch your step."

Le troisième rapport invalidait le deuxième de la même façon que le second invalidait le premier. Nous étions revenus au point de départ. »

Lisa revint, le souffle court. « Partons. Nous en avons fini ici. » Souple et agile, elle grimpa dans le camion et s'installa entre son mari et le chauffeur.

« Les rapports étaient tous différents, conclut Anderton. Tous uniques. Mais deux d'entre eux étaient d'accord sur un point : si je restais en liberté, *je tuais Kaplan.* C'est ce qui a créé l'illusion d'un rapport majoritaire. Car ce n'était que cela — une illusion. "Donna" et "Mike" avaient prévu le même événement, mais dans deux sillons temporels complètement distincts et se produisant dans deux situations différentes. "Donna" et "Jerry", le "rapport minoritaire" et la moitié du "rapport majoritaire" se sont trompés. Seul "Mike" disait vrai… puisque aucun rapport ultérieur ne venait invalider le sien. Et voilà. »

Tenaillé par l'inquiétude, Witwer trottinait à côté du camion en marche. « Est-ce que ça se reproduira ? Faut-il revoir tout le système ?

— Ça ne peut se reproduire que dans un seul cas, fit Anderton. Le mien était unique, puisque j'avais accès à toutes les données. Cela *peut* arriver à nouveau… mais seulement au prochain préfet de police ! Donc, faites bien attention. »

Briefly, he grinned, deriving no inconsiderable comfort from Witwer's strained expression. Beside him, Lisa's red lips twitched and her hand reached out and closed over his.

"Better keep your eyes open," he informed young Witwer. "It might happen to you at any time."

Il eut un petit sourire. L'expression tendue de Witwer lui causait une satisfaction non négligeable. À ses côtés, Lisa se contenta d'un léger tressaillement des lèvres et lui prit la main.

« Oui, soyez très vigilant, recommanda-t-il au jeune Witwer. La même chose pourrait très bien vous arriver, et à tout moment ! »

We Can Remember It for You Wholesale

Souvenirs à vendre

He awoke — and wanted Mars. *The valleys*, he thought. *What would it be like to trudge among them?* Great and greater yet: the dream grew as he became fully conscious, the dream and the yearning. He could almost feel the enveloping presence of the other world, which only Government agents and high officials had seen. A clerk like himself? Not likely.

"Are you getting up or not?" his wife Kirsten asked drowsily, with her usual hint of fierce crossness. "If you are, push the hot coffee button on the darn stove."

"Okay," Douglas Quail said, and made his way barefoot from the bedroom of their conapt to the kitchen.

Aussitôt réveillé, il eut envie de Mars. *Ses vallées,* songea-t-il. *Comment est-ce, d'en fouler le sol ?* Le rêve prenait de l'ampleur à mesure que la conscience lui revenait. Le rêve et le désir ardent. Il sentait presque la présence enveloppante de cet autre monde que seuls les agents du gouvernement et les personnalités haut placées avaient pu visiter. Les petits fonctionnaires comme lui n'avaient que très peu de chances d'y aller.

« Tu te lèves, oui ou non ? » demanda Kirsten, sa femme, d'une voix ensommeillée où pointait une mauvaise humeur aussi virulente que coutumière. « Quand tu seras debout, appuie sur le bouton "café chaud" de cette maudite cuisinière.

— D'accord », répondit Douglas Quail qui, pieds nus, se rendit à la cuisine du conapt.

There, having dutifully pressed the hot coffee button, he seated himself at the kitchen table, brought out a yellow, small tin of fine Dean Swift snuff. He inhaled briskly, and the Beau Nash mixture stung his nose, burned the roof of his mouth. But still he inhaled; it woke him up and allowed his dreams, his nocturnal desires and random wishes, to condense into a semblance of rationality.

I will go, he said to himself. *Before I die I'll see Mars.*

It was, of course, impossible, and he knew this even as he dreamed. But the daylight, the mundane noise of his wife now brushing her hair before the bedroom mirror — everything conspired to remind him of what he was. *A miserable little salaried employee*, he said to himself with bitterness. Kirsten reminded him of this at least once a day and he did not blame her; it was a wif job to bring her husband down to Earth. *Down to Earth*, he thought, and laughed. The figure of speech in this was literally apt.

"What are you sniggering about?" his wife asked as she swept into the kitchen, her long busy-pink robe wagging after her. "A dream, I bet. You're always full of them."

Il s'exécuta docilement puis s'assit à la table et sortit une petite boîte jaune d'excellent tabac à priser de marque Dean Swift. Il inhala énergiquement et le mélange « Beau Nash » lui picota le nez avant de lui embraser le palais. Il continua quand même à renifler ; ça le réveillait et permettait à ses rêves, ses désirs nocturnes, ses aspirations aléatoires de se cristalliser en revêtant un semblant de cohérence.

Un jour j'irai, se dit-il. *Je verrai Mars avant de mourir.*

C'était impossible, bien sûr, et il le savait pertinemment, si rêveur qu'il fût. Pourtant, la lumière du jour, le bruit si banal de sa femme qui se brossait les cheveux devant le miroir de la chambre à coucher... tout contribuait à lui rappeler ce qu'il était en réalité. *Un minable petit salarié,* se dit-il amèrement. Kirsten le lui rappelait au moins une fois par jour et il ne pouvait pas le lui reprocher ; aux épouses de ramener les maris sur terre. *Sur terre,* s'esclaffa-t-il. C'était le cas de le dire.

« Qu'est-ce qui te fait ricaner ? » demanda sa femme en pénétrant en coup de vent dans la cuisine, vêtue d'une longue robe de chambre rose dragée dont les pans flottaient derrière elle. « Un rêve, je parie ; tu en as toujours la tête farcie.

"Yes," he said, and gazed out the kitchen window at the hover-cars and traffic runnels, and all the little energetic people hurrying to work. In a little while he would be among them. As always.

"I'll bet it had to do with some women," Kirsten said witheringly.

"No," he said. "A god. The god of war. He has wonderful craters with every kind of plant-life growing deep down in them."

"Listen." Kirsten crouched down beside him and spoke earnestly, the harsh quality momentarily gone from her voice. "The bottom of the ocean — *our* occan is much more, an infinity of times more beautiful. You know that; everyone knows that. Rent an artificial gill-outfit for both of us, take a week off from work, and we can descend and live down there at one of those year-round aquatic resorts. And in addition—" She broke off. "You're not listening. You should be. Here is something a lot better than that compulsion, that obsession you have about Mars, and you don't even listen!" Her voice rose piercingly. "God in heaven, you're doomed, Doug! What's going to become of you?"

"I'm going to work," he said, rising to his feet, his breakfast forgotten. "That's what's going to become of me."

— En effet », admit-il. Il regarda par la fenêtre de la cuisine les aéros, les circuloirs et les petites silhouettes pleines d'entrain qui se rendaient en hâte au travail. Dans un moment il se mêlerait à elles. Comme d'habitude.

« Il y a une femme, c'est ça ? lança Kirsten avec mépris.

— Mais non, répliqua-t-il, il s'agit d'un dieu. Du dieu de la guerre. Il possède de magnifiques cratères au fond desquels poussent mille sortes de végétaux.

— Écoute-moi. » Kirsten s'accroupit à côté de lui. Sur un ton empreint de sérieux et qui, momentanément, n'avait plus rien de revêche, elle lui dit : « Les fonds marins — *nos* fonds marins — sont bien plus beaux, infiniment plus beaux que cela. Tu le sais parfaitement ; tout le monde le sait. Tu n'as qu'à louer des tenues à branchies pour nous deux et prendre une semaine de congé ; on descendra séjourner dans une station subaquatique ouverte toute l'année. En plus… » Elle s'interrompit. « Tu ne m'écoutes pas. Tu as tort ! Je te propose une chose qui vaut mille fois cette idée fixe, cette obsession de Mars, et tu n'écoutes même pas ! » Sa voix se fit perçante. « Bonté divine ! Tu files un mauvais coton, Doug ! Que vas-tu devenir ?

— Je vais aller au travail », fit-il en se levant. Il ne pensait plus au petit déjeuner. « Voilà ce qui va m'arriver. »

She eyed him. "You're getting worse. More fanatical every day. Where's it going to lead?"

"To Mars," he said, and opened the door to the closet to get down a fresh shirt to wear to work.

Having descended from the taxi Douglas Quail slowly walked across three densely-populated foot runnels and to the modern, attractively inviting doorway. There he halted, impeding mid-morning traffic, and with caution read the shifting-color neon sign. He had, in the past, scrutinized this sign before... but never had he come so close. This was very different; what he did now was something else. Something which sooner or later had to happen.

REKAL, INCORPORATED

Was this the answer? After all, an illusion, no matter how convincing, remained nothing more than an illusion. At least objectively. But subjectively — quite the opposite entirely.

And anyhow he had an appointment. Within the next five minutes.

Elle le dévisagea. « Ton état empire chaque jour ; tu es de plus en plus détraqué. Je me demande comment ça va finir.

— Sur Mars », déclara-t-il. Puis il alla prendre dans le placard une chemise propre pour aller travailler.

C'était le milieu de la matinée. Une fois descendu du taxi, Douglas Quail traversa sans se presser trois circuloirs piétons surpeuplés pour s'arrêter enfin devant une entrée moderne, d'allure engageante. Sans se soucier de perturber la circulation, il lut attentivement l'enseigne au néon dont la couleur ne cessait de changer. Ce n'était certes pas la première fois... mais jamais il ne s'en était autant approché. Aujourd'hui c'était différent. Il avait fait un pas dans une direction que, tôt ou tard, il lui faudrait suivre jusqu'au bout.

MÉMOIRE S.A.

Était-ce là la solution ? Après tout, les illusions, si convaincantes fussent-elles, n'étaient que des illusions. Du moins objectivement. En revanche, subjectivement, c'était le contraire.

Et quoi qu'il en fût, il avait rendez-vous ; dans cinq minutes.

Taking a deep breath of mildly smog-infested Chicago air, he walked through the dazzling polychromatic shimmer of the doorway and up to the receptionist's counter.

The nicely-articulated blonde at the counter, bare-bosomed and tidy, said pleasantly, "Good morning, Mr Quail."

"Yes," he said. "I'm here to see about a Rekal course. As I guess you know."

"Not 'rekal' but *re*call," the receptionist corrected him. She picked up the receiver of the vidphone by her smooth elbow and said into it, "Mr Douglas Quail is here, Mr McClane. May he come inside, now? Or is it too soon?"

"Giz wetwa wum-wum wamp," the phone mumbled.

"Yes, Mr Quail," she said. "You may go in; Mr McClane is expecting you." As he started off uncertainly she called after him, "Room D, Mr Quail. To your right."

After a frustrating but brief moment of being lost he found the proper room. The door hung open and inside, at a big genuine walnut desk, sat a genial-looking man, middle-aged, wearing the latest Martian frog-pelt gray suit;

Il inspira à pleins poumons l'air légèrement pollué de Chicago puis franchit l'éblouissant chatoiement polychrome de l'entrée et se dirigea vers le comptoir de la réception.

Une blonde à l'élocution impeccable, aux seins nus mais à la mise par ailleurs soignée, lui dit sur un ton affable : « Bonjour, Mr Quail.

— Oui, fit-il. Je viens pour un traitement Mémoire ; mais vous êtes manifestement au courant.

— On ne dit pas MémoiRe mais Mémoi-*Re* », corrigea la réceptionniste. Elle décrocha le vidphone placé près de son coude à la peau bien lisse et annonça dans l'appareil : « Mr McClane ? Mr Douglas Quail est là ; peut-il entrer ou bien est-ce trop tôt ?

— Ou oué ouet ouet tsuit tsuit, marmonna une voix dans le combiné.

— Allez-y, Mr Quail, dit-elle. Vous êtes attendu ; Mr McClane va vous recevoir. » Comme il se mettait en marche d'un air un peu hésitant, elle lui lança : « Bureau D, Mr Quail, sur votre droite. »

Après une désagréable mais brève sensation de désorientation, il trouva la pièce en question. La porte était béante et, à l'intérieur, derrière un grand bureau en noyer véritable, était assis un homme entre deux âges, l'air aimable, qui portait un costume gris en peau de grenouille martienne dernier cri.

his attire alone would have told Quail that he had come to the right person.

"Sit down, Douglas," McClane said, waving his plump hand toward a chair which faced the desk. "So you want to have gone to Mars. Very good."

Quail seated himself, feeling tense. "I'm not so sure this is worth the fee," he said. "It costs a lot and as far as I can see I really get nothing." *Costs almost as much as going*, he thought.

"You get tangible proof of your trip," McClane disagreed emphatically. "All the proof you'll need. Here; I'll show you." He dug within a drawer of his impressive desk. "Ticket stub." Rcaching into a manila folder, he produced a small square of embossed cardboard. "It proves you went — and returned. Postcards." He laid out four franked picture 3-D full-color postcards in a neatly-arranged row on the desk for Quail to see. "Film. Shots you took of local sights on Mars with a rented moving camera." To Quail he displayed those, too. "Plus the names of people you met, two hundred poscreds worth of souvenirs, which will arrive — from Mars — within the following month.

Rien qu'à sa tenue, Quail devinait qu'il s'adressait à la bonne personne.

« Asseyez-vous, Douglas », enjoignit McClane en agitant sa main grassouillette pour désigner une chaise faisant face au bureau. « Alors comme ça, vous voulez être allé sur Mars. C'est parfait. »

Quail s'assit, un peu tendu. « Je ne suis pas très sûr que cela vaille le prix demandé, déclara-t-il. Ça coûte très cher, et autant que je sache, je ne reçois rien en échange. » *Ça coûte presque autant que d'y aller pour de vrai*, songea-t-il.

« Vous recevez des preuves tangibles de votre voyage, protesta énergiquement McClane. Toutes les pièces à conviction qu'il vous faudra. Tenez, je vais vous faire voir. » Il fouilla dans un tiroir de son impressionnant bureau. « Le talon du billet. » Il ouvrit une chemise en papier bulle et en sortit un petit carré de carton gravé en relief. « Ceci prouve que vous y êtes allé — et que vous en êtes revenu. Des cartes postales. » Il étala méticuleusement sur son bureau quatre cartes affranchies, en couleurs et en trois dimensions. « Un film ; des vues de sites touristiques locaux que vous aurez prises avec une caméra louée sur place. » Il les lui montra à leur tour. « Plus le nom des gens que vous aurez rencontrés, des souvenirs pour une valeur de deux cents poscreds, qui arriveront de Mars dans le courant du mois suivant.

And passport, certificates listing the shots you received. And more." He glanced up keenly at Quail. "You'll know you went, all right," he said. "You won't remember us, won't remember me or ever having been here. It'll be a real trip in your mind; we guarantee that. A full two weeks of recall; every last piddling detail. Remember this: if at any time you doubt that you really took an extensive trip to Mars you can return here and get a full refund. You see?"

"But I didn't go," Quail said. "I won't have gone, no matter what proofs you provide me with." He took a deep, unsteady breath. "And I never was a secret agent with Interplan." It seemed impossible to him that Rekal, Incorporated's extra-factual memory implant would do its job — despite what he had heard people say.

"Mr Quail," McClane said patiently. "As you explained in your letter to us, you have no chance, no possibility in the slightest, of ever actually getting to Mars; you can't afford it, and what is much more important, you could never qualify as an undercover agent for Interplan or anybody else. This is the only way you can achieve your, ahem, life-long dream;

Et le passeport, des certificats de vaccination, etc. » Relevant la tête, il jeta à Quail un regard pénétrant. « Vous serez convaincu d'y être allé, ne vous en faites pas. Vous ne vous souviendrez ni de nous, ni de cette entrevue, ni de votre passage ici. Dans votre mémoire, ce sera un *vrai* voyage ; nous vous le garantissons. Quinze jours de souvenirs, remémorés dans le moindre détail. N'oubliez jamais ceci : si un jour vous doutiez d'avoir réellement effectué un séjour prolongé sur Mars, revenez et vous serez intégralement remboursé. Vous voyez !

— Seulement voilà : je n'y suis pas allé, insista Quail. Je n'y serai pas allé quelles que soient les preuves que vous me fournirez. » Il prit une profonde inspiration saccadée. « Et je n'ai *jamais* été un agent secret d'Interplan. » Il lui paraissait impossible que l'implantation de souvenirs extra-factuels par MémoiRe S.A. fonctionne effectivement, quoi qu'il eût entendu dire autour de lui.

« Mr Quail, reprit patiemment McClane. Comme vous nous l'avez expliqué dans votre lettre, vous n'avez pas la moindre chance d'aller un jour sur Mars ; vous n'en avez pas les moyens et, beaucoup plus important, vous ne présentez pas les qualités requises pour être agent secret chez Interplan ou ailleurs. Ce que nous vous proposons est donc la seule manière de réaliser… hum, le rêve de votre vie.

am I not correct, sir? You can't be this; you can't actually do this." He chuckled. "But you can *have been* and *have done*. We see to that. And our fee is reasonable; no hidden charges." He smiled encouragingly.

"Is an extra-factual memory that convincing?" Quail asked.

"More than the real thing, sir. Had you really gone to Mars as an Interplan agent, you would by now have forgotten a great deal; our analysis of true-men systems — authentic recollections of major events in a person's life — shows that a variety of details are very quickly lost to the person. Forever. Part of the package we offer you is such deep implantation of recall that nothing is forgotten. The packet which is fed to you while you're comatose is the creation of trained experts, men who have spent years on Mars; in every case we verify details down to the last iota. And you've picked a rather easy extra-factual system; had you picked Pluto or wanted to be Emperor of the Inner Planet Alliance we'd have much more difficulty… and the charges would be considerably greater."

Est-ce que je me trompe ? Non, vous ne pouvez ni être agent secret ni vous rendre pour de vrai sur Mars. » Il gloussa. « Mais vous pouvez *l'avoir été* et *y être allé.* Nous nous en chargerons. Et notre tarif est raisonnable, sans mauvaises surprises. » Il eut un sourire encourageant.

« Le souvenir extra-factuel est-il à ce point convaincant ? interrogea Quail.

— Plus vrai qu'un vrai. Si vous étiez vraiment allé sur Mars comme agent d'Interplan, à l'heure actuelle vous auriez oublié la quasi-totalité de votre mission ; nos analyses du système vérimémoriel — la remémoration authentique des grands événements de la vie — démontrent qu'une foule de détails s'évanouissent très rapidement. Et définitivement. Dans le contrat global que nous offrons, les souvenirs sont si profondément implantés que rien n'est oublié. Le matériau qu'on vous injecte pendant votre coma artificiel a été créé par des experts remarquablement formés qui ont passé des années sur Mars ; dans tous les cas, nous vérifions tout dans les moindres détails. De plus, vous avez choisi un système extra-factuel relativement facile ; si vous aviez choisi Pluton, ou si vous aviez voulu être empereur de l'Alliance des Planètes intérieures, nous aurions eu beaucoup plus de mal… et le coût aurait été nettement plus élevé. »

Reaching into his coat for his wallet, Quail said, "Okay. It's been my life-long ambition and so I see I'll never really do it. So I guess I'll have to settle for this."

"Don't think of it that way," McClane said severely. "You're not accepting second-best. The actual memory, with all its vagueness, omissions and ellipses, not to say distortions — that's second-best." He accepted the money and pressed a button on his desk. "All right. Mr Quail," he said, as the door of his office opened and two burly men swiftly entered. "You're on your way to Mars as a secret agent." He rose, came over to shake Quail's nervous, moist hand. "Or rather, you have been on your way. This afternoon at four-thirty you will, um, arrive back here on Terra; a cab will leave you off at your conapt and as I say you will never remember seeing me or coming here; you won't, in fact, even remember having heard of our existence."

His mouth dry with nervousness, Quail followed the two technicians from the office; what happened next depended on them.

Will I actually believe I've been on Mars? he wondered. *That I managed to fulfill my lifetime ambition?*

Quail chercha son portefeuille dans sa veste et concéda : « D'accord. Ça a toujours été ma grande ambition et je vois bien que je ne la réaliserai jamais pour de vrai. Je crois qu'il faudra que je me contente de ça.

— Ne voyez pas les choses sous cet angle, protesta sévèrement McClane. Ce n'est pas un pis-aller. C'est le vrai souvenir — avec tout ce qu'il comporte d'imprécisions, d'omissions et d'ellipses, pour ne pas dire de déformations — qui est le pis-aller. » Il prit l'argent et appuya sur un bouton de son bureau. « Bien », dit-il comme la porte de son bureau s'ouvrait et que deux solides gaillards entraient prestement. « Vous voilà parti pour Mars en tant qu'agent secret. » Il se leva, fit le tour de son bureau pour serrer la main droite et nerveuse de Quail. « Ou plutôt vous y êtes parti. Cet après-midi à quatre heures et demie, vous... euh, vous serez "de retour" ici, sur Terra ; un taxi vous déposera à votre conapt, et comme je vous l'ai dit, vous ne vous souviendrez plus jamais de m'avoir vu ni d'être venu ici. En fait, vous n'aurez même jamais entendu parler de nous. »

La bouche sèche sous l'effet de l'angoisse, Quail sortit du bureau à la suite des deux techniciens ; la suite dépendrait d'eux.

Croirai-je véritablement être allé sur Mars ? se demanda-t-il. *Et avoir réussi à satisfaire mon ambition la plus chère ?*

He had a strange, lingering intuition that something would go wrong. But just what — he did not know.

He would have to wait and find out.

The intercom on McClane's desk, which connected him with the work area of the firm, buzzed and a voice said, "Mr Quail is under sedation now, sir. Do you want to supervise this one, or shall we go ahead?"

"It's routine," McClane observed. "You may go ahead, Lowe; I don't think you'll run into any trouble." Programming an artificial memory of a trip to another planet — with or without the added fillip of being a secret agent — showed up on the firm's work-schedule with monotonous regularity. *In one month*, he calculated wryly, *we must do twenty of these... ersatz interplanetary travel has become our bread and butter.*

"Whatever you say, Mr McClane," Lowe's voice came, and thereupon the intercom shut off.

Going to the vault section in the chamber behind his office, McClane searched about for a Three packet — Trip to Mars — and a Sixty-two packet : Secret Interplan Spy.

Une intuition bizarre et persistante lui disait que quelque chose tournerait de travers. Mais quoi au juste ? Il ne le savait pas.

Il lui faudrait attendre pour le découvrir.

Sur le bureau de McClane, l'intercom qui le reliait directement à la salle de traitement bourdonna et une voix annonça : « Mr Quail est à présent sous sédation, monsieur. Voulez-vous superviser personnellement l'opération ou bien pouvons-nous poursuivre ?

— C'est un cas des plus banals, observa McClane. Allez-y, Lowe ; je ne pense pas qu'il y ait le moindre risque. » Les programmations de souvenirs artificiels retraçant un voyage sur une autre planète — avec ou sans le piquant supplémentaire qu'ajoutait le rôle d'agent secret — réapparaissaient avec une régularité monotone sur l'agenda de la société. *En un mois,* calcula-t-il avec une ironie légèrement amère, *on doit bien en faire vingt... L'ersatz de voyage interplanétaire est devenu notre ordinaire.*

« Comme vous voudrez, Mr McClane », fit la voix de Lowe ; sur quoi l'intercom se tut.

McClane se rendit dans la chambre forte de la pièce située derrière son bureau, se mit en quête d'une pochette numéro Trois — Voyage sur Mars — et d'une pochette Soixante-deux : Agent secret d'Interplan.

Finding the two packets, he returned with them to his desk, seated himself comfortably, poured out the contents — merchandise which would be planted in Quail's conapt while the lab technicians busied themselves installing false memory.

A one-poscred sneaky-pete side arm, McClane reflected; *that's the largest item. Sets us back financially the most.* Then a pellet-sized transmitter, which could be swallowed if the agent were caught. Code book that astonishingly resembled the real thing... the firm's models were highly accurate : based, whenever possible, on actual US military issue. Odd bits which made no intrinsic sense but which would be woven into the warp and woof of Quail's imaginary trip, would coincide with his memory : half an ancient silver fifty cent piece, several quotations from John Donne's sermons written incorrectly, each on a separate piece of transparent tissue-thin paper, several match folders from bars on Mars, a stainless steel spoon engraved PROPERTY OF DOME-MARS NATIONAL KIBBUZIM, a wire tapping coil which—

Il regagna son bureau, s'installa confortablement et vida les pochettes de leur contenu — les objets qui seraient déposés dans le conapt de Quail pendant que les techniciens du labo s'occupaient de lui implanter de faux souvenirs.

Une furtidague à un poscred, songea-t-il. *L'article le plus volumineux. Celui qui nous revient le plus cher.* Puis venait un émetteur de la taille d'une pilule qui pouvait être avalé si l'agent était capturé. Un manuel de codage ressemblant étonnamment à un vrai... Les accessoires fournis par la société étaient des reproductions très fidèles, copiées autant que possible sur d'authentiques modèles réglementaires de l'armée américaine. Tout un bric-à-brac dépourvu de signification intrinsèque mais qu'on tisserait dans la trame même du voyage imaginaire et qui coïnciderait avec les souvenirs : la moitié d'une ancienne pièce de cinquante *cents* en argent, plusieurs citations incorrectes de sermons de John Donne écrites séparément sur des morceaux de papier de soie, plusieurs pochettes d'allumettes provenant de bars martiens ; une cuiller en acier inoxydable où était gravée l'inscription : PROPRIÉTÉ DU KIBBOUTZ NATIONAL DU DÔME MARTIEN, une bobine de fil électrique permettant de poser une dérivation et de...

The intercom buzzed, "Mr McClane, I'm sorry to bother you but something rather ominous has come up. Maybe it would be better if you were in here after all. Quail is already under sedation; he reacted well to the narkidrine; he's completely unconscious and receptive. But—"

"I'll be in." Sensing trouble, McClane left his office; a moment later he emerged in the work area.

On a hygienic bed lay Douglas Quail, breathing slowly and regularly, his eyes virtually shut; he seemed dimly — but only dimly — aware of the two technicians and now McClane himself.

"There's no space to insert false memory-patterns?" McClane felt irritation. "Merely drop out two work weeks; he's employed as a clerk at the West Coast Emigration Bureau, which is a government agency, so he undoubtedly has or had two weeks' vacation within the last year. That ought to do it." Petty details annoyed him. And always would.

"Our problem," Lowe said sharply, "is something quite different." He bent over the bed, said to Quail, "Tell Mr McClane what you told us." To McClane he said, "Listen closely."

L'intercom bourdonna. « Mr McClane, je suis désolé de vous déranger mais il se passe quelque chose d'assez inquiétant. Il vaudrait peut-être mieux que vous veniez, finalement. Quail est sous sédation, il a bien réagi à la narkidrine, il est totalement inconscient et réceptif. Seulement…

— J'arrive tout de suite. » Pressentant des ennuis, McClane quitta son bureau ; un instant plus tard il pénétrait dans la salle de traitement.

Allongé sur un lit stérile, Douglas Quail respirait lentement et régulièrement, les yeux pratiquement clos. Il semblait conscient, mais très vaguement, de la présence des deux techniciens, et désormais de celle de McClane.

« Comment ça, il n'y a pas de créneau où introduire les faux souvenirs ? » McClane céda à l'agacement. « Vous n'avez qu'à faire sauter quinze jours de travail, il est fonctionnaire à l'Office d'émigration de la côte Ouest. C'est une agence gouvernementale ; il a donc forcément eu quinze jours de vacances dans le courant de l'année passée. Ça devrait faire l'affaire. » Les petits détails l'énervaient. Et l'énerveraient toujours.

« Notre problème, rétorqua sèchement Lowe, est d'un autre ordre. » Il se pencha sur le lit et glissa à Quail : « Répétez devant Mr McClane ce que vous nous avez dit. » Il recommanda à McClane : « Écoutez bien ! »

The gray-green eyes of the man lying supine in the bed focussed on McClane's face. The eyes, he observed uneasily, had become hard; they had a polished, inorganic quality, like semi-precious tumbled stones. He was not sure that he liked what he saw; the brilliance was too cold. "What do you want now?" Quail said harshly. "You've broken my cover. Get out of here before I take you all apart." He studied McClane. "Especially you," he continued. "You're in charge of this counter-operation."

Lowe said, "How long were you on Mars?"

"One month," Quail said gratingly.

"And your purpose there?" Lowe demanded.

The meager lips twisted; Quail eyed him and did not speak. At last, drawling the words out so that they dripped with hostility, he said, "Agent for Interplan. As I already told you. Don't you record everything that's said? Play your vid-aud tape back for your boss and leave me alone." He shut his eyes, then; the hard brilliance ceased. McClane felt, instantly, a rushing splurge of relief.

Lowe said quietly, "This is a tough man, Mr McClane."

Les yeux gris-vert de l'homme étendu sur le lit se rivèrent au visage de McClane. Ce dernier remarqua avec un léger malaise qu'ils avaient acquis une certaine dureté, un aspect glacé, inorganique de gemmes polies. Ils ne lui disaient rien de bon ; ils brillaient d'un éclat trop froid.

« Qu'est-ce que vous me voulez maintenant ? fit Quail d'une voix tranchante. Vous avez percé ma couverture à jour. Sortez avant que je vous démolisse tous. » Il observa McClane. « Vous, surtout, poursuivit-il ; c'est vous le chef de cette contre-opération. »

Lowe interrogea : « Combien de temps êtes-vous resté sur Mars ?

— Un mois, grinça Quail.

— Et le but de votre séjour là-bas ? » demanda Lowe.

Les lèvres minces de Quail se contractèrent ; il le lorgna sans répondre. Finalement, étirant les mots afin d'exprimer le maximum d'hostilité, il déclara : « Agent d'Interplan, comme je vous l'ai déjà dit. Vous n'enregistrez donc pas tout ce qui se dit ? Repassez donc la bande vidaudio à votre patron et fichez-moi la paix. » Il ferma les yeux et l'éclat de pierre disparut. McClane ressentit aussitôt une bouffée de soulagement.

Lowe commenta calmement : « C'est un dur à cuire, Mr McClane.

"He won't be," McClane said, "after we arrange for him to lose his memory-chain again. He'll be as meek as before." To Quail he said, "So *this* is why you wanted to go to Mars so terribly bad."

Without opening his eyes Quail said, "I never wanted to go to Mars. I was assigned it — they handed it to me and there I was : stuck. Oh yeah, I admit I was curious about it; who wouldn't be?" Again he opened his eyes and surveyed the three of them, McClane in particular. "Quite a truth drug you've got here; it brought up things I had absolutely no memory of." He pondered. "I wonder about Kirsten," he said, half to himself. "Could she be in on it? An Interplan contact keeping an eye on me... to be certain I didn't regain my memory? No wonder she's been so derisive about my wanting to go there." Faintly, he smiled; the smile — one of understanding — disappeared almost at once.

McClane said, "Please believe me, Mr Quail; we stumbled onto this entirely by accident. In the work we do—"

"I believe you," Quail said. He seemed tired, now; the drug was continuing to pull him under, deeper and deeper. "Where did I say I'd been?" he murmured. "Mars?

— Ça ne va pas durer, assura McClane. Quand on lui aura fait reperdre le fil de ses souvenirs, il sera aussi doux qu'avant. » Puis, s'adressant à Quail : « Voilà donc *pourquoi* vous vouliez tant aller sur Mars. »

Sans ouvrir les yeux, Quail affirma : « Je n'ai jamais eu envie d'aller sur Mars. On m'y a envoyé en mission — d'office : j'étais coincé. D'accord, je reconnais que j'étais curieux — qui ne le serait pas ? » Il rouvrit les yeux et dévisagea les trois hommes en insistant sur McClane. « Fameux sérum de vérité votre truc, là ; cela m'a remis en mémoire des choses dont je n'avais absolument aucun souvenir. » Il resta songeur. « Et Kirsten, là-dedans ? réfléchit-il à voix haute. Se peut-il qu'elle soit dans le coup ? Comme agente d'Interplan chargée de me tenir à l'œil… de s'assurer que je ne recouvrais pas la mémoire ? Pas étonnant qu'elle se soit tant moquée de mon envie de Mars. » Un pâle sourire lui vint aux lèvres tandis qu'il saisissait l'ensemble de la situation, mais s'envola presque aussitôt.

McClane reprit : « Croyez-moi, Mr Quail, nous sommes tombés là-dessus tout à fait accidentellement. Dans le travail que nous faisons.

— Je vous crois », admit Quail. Il paraissait las, soudain. La drogue continuait à agir et à l'enfoncer dans le sommeil. « Où est-ce que j'ai dit que j'avais été ? murmura-t-il. Sur Mars ?

Hard to remember — I know I'd like to see it; so would everybody else. But me—" His voice trailed off. "Just a clerk, a nothing clerk."

Straightening up, Lowe said to his superior. "He wants a false memory implanted that corresponds to a trip he actually took. And a false reason which is the real reason. He's telling the truth; he's a long way down in the narkidrine. The trip is very vivid in his mind — at least under sedation. But apparently he doesn't recall it otherwise. Someone, probably at a government military-sciences lab, erased his conscious memories; all he knew was that going to Mars meant something special to him, and so did being a secret agent. They couldn't erase that; it's not a memory but a desire, undoubtedly the same one that motivated him to volunteer for the assignment in the first place."

The other technician, Keeler, said to McClane, "What do we do? Graft a false memory-pattern over the real memory? There's no telling what the results would be; he might remember some of the genuine trip, and the confusion might bring on a psychotic interlude. He'd have to hold two opposite premises in his mind simultaneously:

Je ne me rappelle plus très bien... J'aimerais y aller, ça oui; comme tout le monde. Sauf que moi... » Sa voix s'atténua. « N'suis rien qu'un employé, un petit employé de rien du tout. »

Lowe se redressa et dit à son supérieur : « Il veut qu'on lui implante un faux souvenir qui corresponde à un voyage qu'il a effectivement accompli. Avec un faux motif qui est en réalité le vrai. Il dit la vérité : il est complètement sous l'effet de la narkidrine. Ce voyage est très net dans sa mémoire... du moins sous sédation. Mais autrement, il ne s'en souvient pas, apparemment. On a dû effacer ses souvenirs conscients dans un quelconque labo de l'armée, tout ce qu'il savait, c'était qu'aller sur Mars représentait quelque chose d'important pour lui, et que le fait d'être agent secret était également important. Ils n'ont pu effacer cela; ce n'est pas un souvenir mais un désir, sans doute celui-là même qui, à l'origine, l'a poussé à se porter volontaire pour la mission. »

L'autre technicien, un dénommé Keeler, demanda à McClane : « Qu'est-ce qu'on fait? On greffe une fausse mémo-structure sur le vrai souvenir? On ne peut pas savoir ce que ça donnerait; il pourrait se rappeler en partie son vrai voyage, et la confusion risquerait de provoquer un épisode psychotique. Il se retrouverait contraint de faire coexister dans son esprit deux postulats opposés :

that he went to Mars and that he didn't. That he's a genuine agent for Interplan and he's not, that it's spurious. I think we ought to revive him without any false memory implantation and send him out of here; this is hot."

"Agreed," McClane said. A thought came to him. "Can you predict what he'll remember when he comes out of sedation?"

"Impossible to tell," Lowe said. "He probably will have some dim, diffuse memory of his actual trip, now. And he'd probably be in grave doubt as to its validity; he'd probably decide our programming slipped a gear-tooth. And he'd remember coming here; that wouldn't be erased — unless you want it erased."

"The less we mess with this man," McClane said, "the better I like it. This is nothing for us to fool around with; we've been foolish enough to — or unlucky enough to — uncover a genuine Interplan spy who has a cover so perfect that up to now even he didn't know what he was — or rather is." The sooner they washed their hands of the man calling himself Douglas Quail the better.

"Are you going to plant packets Three and Sixty-two in his conapt?" Lowe said.

je suis allé sur Mars / je n'y suis pas allé, je suis un authentique agent d'Interplan / je ne suis pas un agent d'Interplan, c'est un leurre. On devrait le ranimer sans lui implanter de faux souvenir et s'en débarrasser ; cette histoire sent mauvais.

— D'accord », fit McClane. Une idée lui vint. « Pouvez-vous prévoir ce dont il se souviendra quand il se réveillera ?

— Impossible à dire, répondit Lowe. Sans doute aura-t-il désormais un souvenir confus de son vrai voyage. Et il doutera très fort de son authenticité ; il en conclura probablement que nous avons foiré quelque part. Et il se rappellera sûrement être venu chez nous ; ce souvenir-là ne sera pas effacé — à moins que vous ne le désiriez.

— Moins nous tripatouillerons dans sa tête, fit McClane, mieux je me porterai. N'allons pas nous mêler de cette histoire ; nous avons déjà été assez bêtes — ou assez malchanceux — pour percer la couverture d'un authentique espion d'Interplan — une couverture si parfaite que jusqu'à aujourd'hui, même lui ne savait pas ce qu'il était réellement — ou plutôt ce qu'il *est.* » Plus vite ils se laveraient les mains de l'individu qui se faisait appeler Douglas Quail, mieux cela vaudrait.

« Va-t-on placer chez lui les pochettes Trois et Soixante-deux ? s'enquit Lowe.

"No," McClane said. "And we're going to return half his fee."

"'Half'! Why half?"

McClane said lamely, "It seems to be a good compromise."

As the cab carried him back to his conapt at the residential end of Chicago, Douglas Quail said to himself, *It's sure good to be back on Terra.*

Already the month-long period on Mars had begun to waver in his memory; he had only an image of profound gaping craters, an ever-present ancient erosion of hills, of vitality, of motion itself. A world of dust where little happened, where a good part of the day was spent checking and rechecking one's portable oxygen source. And then the life forms, the unassuming and modest gray-brown cacti and maw-worms.

As a matter of fact he had brought back several moribund examples of Martian fauna; he had smuggled them through customs. After all, they posed no menace; they couldn't survive in Earth's heavy atmosphere.

Reaching into his coat pocket, he rummaged for the container of Martian maw-worms—

— Non, fit McClane. Et on va lui rembourser la moitié du paiement.

— La moitié ! Pourquoi la moitié ?

— Cela me paraît un bon compromis », expliqua McClane sans grande conviction.

Dans le taxi qui le ramenait à son conapt, dans les faubourgs résidentiels de Chicago, Douglas Quail se disait : *C'est drôlement bon d'être de retour sur Terra.*

Déjà son séjour d'un mois sur Mars commençait à s'estomper dans sa mémoire ; il n'en conservait que l'image de profonds cratères béants, de collines victimes d'une érosion omniprésente et millénaire qui gommait jusqu'au moindre signe de vitalité, voire de mouvement. Il revoyait un monde de poussière où il n'arrivait presque jamais rien, où on passait une bonne partie de la journée à vérifier et revérifier sa réserve d'oxygène portative. Et puis il y avait les formes de vie : les humbles cactées gris-brun, les ascarides.

D'ailleurs, il avait ramené plusieurs créatures moribondes représentatives de la faune martienne qu'il avait passées en fraude à la douane. Elles ne représentaient aucune menace, ne pouvant survivre dans la pesante atmosphère terrestre.

Il fouilla dans la poche de sa veste à la recherche de sa boîte d'ascarides martiens.

And found an envelope instead.

Lifting it out, he discovered, to his perplexity, that it contained five hundred and seventy poscreds, in cred bills of low denomination.

Where'd I get this? he asked himself. *Didn't I spend every 'cred I had on my trip?*

With the money came a slip of paper marked: *One-half fee ret'd. By McClane.* And then the date. Today's date.

"Recall," he said aloud.

"Recall what, sir or madam?" the robot driver of the cab inquired respectfully.

"Do you have a phone book?" Quail demanded.

"Certainly, sir or madam." A slot opened; from it slid a microtape phone book for Cook County.

"It's spelled oddly," Quail said as he leafed through the pages of the yellow section. He felt fear, then; abiding fear. "Here it is," he said. "Take me there, to Rekal, Incorporated. I've changed my mind; I don't want to go home."

"Yes, sir or madam, as the case may be," the driver said. A moment later the cab was zipping back in the opposite direction.

"May I make use of your phone?" he asked.

"Be my guest," the robot driver said. And presented a shiny new emperor 3-D color phone to him.

Et trouva une enveloppe à la place.

Il découvrit, perplexe, qu'elle contenait cinq cent soixante-dix poscreds en petites coupures.

D'où cela me vient-il ? N'ai-je pas dépensé tous mes creds pendant le voyage ?

Avec l'argent, une feuille de papier portant la mention suivante : *Remboursement de la moitié du paiement, de la part de McClane.* Suivait une date, celle du jour.

« MémoiRe, dit-il tout haut.

— Quoi, mémoire, monsieur ou madame ? s'enquit respectueusement le robot-chauffeur.

— Avez-vous un annuaire ? demanda Quail.

— Certainement, monsieur ou madame. »

Une fente s'ouvrit et il en tomba un annuaire microfilmé du comté de Cook.

« Je me souviens. Ça s'écrit bizarrement », fit Quail en feuilletant les pages jaunes. Il sentait la peur le gagner ; une peur tenace. « Là, voilà ! s'exclama-t-il. Emmenez-moi chez MémoiRe, S.A. ; j'ai changé d'avis, je ne veux plus aller chez moi.

— Bien, monsieur ou madame selon le cas », acquiesça le chauffeur. Un instant plus tard, le taxi filait dans la direction opposée.

« Je peux me servir de votre téléphone ? demanda-t-il.

— Je vous en prie », répondit le robot-chauffeur. Il lui présenta un vidphone *emperor* 3-D couleur ; flambant neuf.

He dialed his own conapt. And after a pause found himself confronted by a miniature but chillingly realistic image of Kirsten on the small screen. "I've been to Mars," he said to her.

"You're drunk." Her lips writhed scornfully. "Or worse."

"'S God's truth."

"When?" she demanded.

"I don't know." He felt confused. "A simulated trip, I think. By means of one of those artificial or extra-factual or whatever it is memory places. It didn't take."

Kirsten said witheringly, "You *are* drunk." And broke the connection at her end. He hung up, then, feeling his face flush. *Always the same tone,* he said hotly to himself. *Always the retort, as if she knows everything and I know nothing. What a marriage. Keerist,* he thought dismally.

A moment later the cab stopped at the curb before a modern, very attractive little pink building, over which a shifting polychromatic neon sign read: REKAL, INCORPORATED.

The receptionist, chic and bare from the waist up, started in surprise, then gained masterful control of herself. "Oh, hello, Mr Quail," she said nervously. "H-how are you? Did you forget something?"

Il composa le numéro de son conapt et, au bout d'un court instant, se trouva confronté à l'image miniature, mais d'un réalisme qui le glaça, de Kirsten sur le minuscule écran. « Je suis allé sur Mars, expliqua-t-il.

— Tu es saoul. » Les lèvres de la jeune femme se plissèrent de mépris. « Ou pis.

— C'est la vérité, j'te jure.

— Quand ça ? questionna-t-elle.

— Je l'ignore. » Il ne savait plus très bien où il en était. « C'était un voyage simulé, je crois. Chez une de ces sociétés qui t'implantent des souvenirs artificiels, ou extra-factuels, je ne sais plus comment on dit. Mais ça n'a pas marché. »

Kirsten reprit dédaigneusement : « Tu es *vraiment* saoul. » Sur ce elle coupa la communication. Il raccrocha ; il sentait le rouge lui monter aux joues. *Toujours ce ton,* se dit-il, échauffé. *Et elle a toujours le dernier mot, comme si elle savait tout et moi rien. Tu parles d'une union !* pensa-t-il, accablé.

Un instant plus tard, le taxi s'arrêtait le long du trottoir devant un charmant petit immeuble moderne rose au-dessus duquel une enseigne au néon polychrome indiquait : MémoiRe S.A.

La réceptionniste, très chic et nue jusqu'à la taille, sursauta d'étonnement puis se reprit magistralement. « Tiens ! Rebonjour Mr Quail, dit-elle avec nervosité. Co... comment allez-vous ? Vous avez oublié quelque chose ?

"The rest of my fee back," he said.

More composed now, the receptionist said, "Fee? I think you are mistaken, Mr Quail. You were here discussing the feasibility of an extra-factual trip for you, but—" She shrugged her smooth pale shoulders. "As I understand it, no trip was taken."

Quail said, "I remember everything, miss. My letter to Rekal, Incorporated, which started this whole business off. I remember my arrival here, my visit with Mr McClane. Then the two lab technicians taking me in tow and administering a drug to put me out." No wonder the firm had returned half his fee. The false memory of this "trip to Mars" hadn't taken — at least not entirely, not as he had been assured.

"Mr Quail," the girl said, "although you are a minor clerk you are a good-looking man and it spoils your features to become angry. If it would make you feel any better, I might, ahem, let you take me out..."

He felt furious, then. "I remember you," he said savagely. "For instance the fact that your breasts are sprayed blue; that stuck in my mind.

— Le reste de mon paiement », rétorqua-t-il.

La réceptionniste s'était presque ressaisie. Elle s'étonna : « Votre paiement ? Vous devez faire erreur, Mr Quail. Vous êtes venu voir si vous pouviez faire un voyage extra-factuel par notre entremise, mais… » Elle haussa les épaules, qu'elle avait lisses et blanches. « Si j'ai bien compris, aucun voyage n'a été effectué.

— Je me souviens de tout, mademoiselle, rétorqua Quail. Ma lettre à MémoiRe S.A., qui a mis cette affaire en branle. Mon arrivée ici, mon entretien avec Mr McClane, puis les deux techniciens qui m'ont embarqué et administré une drogue pour me mettre K.-O. » Pas étonnant que la société lui ait remboursé la moitié de son paiement. Le faux souvenir de son « voyage sur Mars » n'avait pas pris — du moins pas entièrement, comme on le lui avait assuré.

« Mr Quail, fit la jeune femme. Malgré votre statut de petit fonctionnaire, vous êtes bel homme ; or vous vous enlaidissez en vous mettant en colère. Si ça devait vous être agréable, je pourrais… euh, vous permettre de m'inviter au… »

Alors la rage envahit Quail. « Je me souviens de vous, rugit-il furieusement. Et notamment de vos seins : ils sont maquillés en bleu ; ça m'a marqué.

And I remember Mr McClane's promise that if I remembered my visit to Rekal, Incorporated I'd receive my money back in full. Where is Mr McClane?"

After a delay — probably as long as they could manage — he found himself once more seated facing the imposing walnut desk, exactly as he had been an hour or so earlier in the day.

"Some technique you have," Quail said sardonically. His disappointment — and resentment — was enormous, by now. "My so-called 'memory' of a trip to Mars as an undercover agent for Interplan is hazy and vague and shot full of contradictions. And I clearly remember my dealings here with you people. I ought to take this to the Better Business Bureau." He was burning angry, at this point; his sense of being cheated had overwhelmed him, had destroyed his customary aversion to participating in a public squabble.

Looking morose, as well as cautious, McClane said, "We capitulate, Quail. We'll refund the balance of your fee. I fully concede the fact that we did absolutely nothing for you." His tone was resigned.

Quail said accusingly, "You didn't even provide me with the various artefacts that you claimed would 'prove' to me I had been on Mars. All that song-and-dance you went into — it hasn't materialized into a damn thing.

Et aussi de la promesse que m'a faite McClane : si je me rappelais être venu chez MémoiRe S.A., je serais intégralement remboursé. Où est McClane ? »

Après un moment d'attente — qu'on fit sans doute durer le plus longtemps possible — il se retrouva une fois de plus assis face à l'imposant bureau en noyer, comme une heure plus tôt.

« Bravo pour votre méthode ! » lança-t-il d'un ton sardonique. Sa déception — comme sa rancœur — avait pris des proportions énormes. « J'ai, à propos d'un voyage sur Mars en tant qu'agent secret d'Interplan, un prétendu "souvenir" flou, vague et bourré de contradictions. Et je me rappelle parfaitement nos tractations, ici même. Je devrais porter l'affaire devant l'Office de protection des consommateurs ! » Il fulminait ; le sentiment d'avoir été floué le submergeait et réduisait à néant son aversion habituelle pour les querelles publiques.

L'air morose et prudent à la fois, McClane déclara : « Nous capitulons, Quail. Nous allons vous rembourser en totalité, je reconnais honnêtement que nous n'avons absolument rien fait pour vous. » Son ton était résigné.

Quail accusa : « Vous ne m'avez même pas fourni les divers artefacts qui, d'après vous, devaient me "prouver" que j'étais bien allé sur Mars. Tout le baratin que vous m'avez servi… du vent !

Not even a ticket stub. Nor postcards. Nor passport. Nor proof of immunization shots. Nor—"

"Listen, Quail," McClane said. "Suppose I told you—" He broke off. "Let it go." He pressed a button on his intercom. "Shirley, will you disburse five hundred and seventy more 'creds in the form of a cashier's check made out to Douglas Quail? Thank you." He released the button, then glared at Quail.

Presently the check appeared; the receptionist placed it before McClane and once more vanished out of sight, leaving the two men alone, still facing each other across the surface of the massive walnut desk.

"Let me give you a word of advice," McClane said as he signed the check and passed it over. "Don't discuss your, ahem, recent trip to Mars with anyone."

"What trip?"

"Well, that's the thing." Doggedly, McClane said, "The trip you partially remember. Act as if you don't remember; pretend it never took place. Don't ask me why; just take my advice: it'll be better for all of us." He had begun to perspire. Freely. "Now, Mr Quail, I have other business, other clients to see." He rose, showed Quail to the door.

Je n'ai même pas un malheureux talon de billet. Ni carte postale, ni passeport, ni certificat de vaccination, ni…

— Écoutez, Quail, trancha McClane. Et si je vous disais que… » Il s'interrompit. « Non, rien. » Il appuya sur le bouton de l'intercom : « Shirley, veuillez établir un chèque au nom de Douglas Quail pour un montant de cinq cent soixante-dix creds, je vous prie ; merci. » Il relâcha le bouton et fixa Quail d'un air furibond.

Le chèque arriva ; la réceptionniste le posa devant McClane et s'éclipsa, laissant les deux hommes toujours face à face, chacun d'un côté du grand bureau en noyer.

« Je voudrais vous donner un petit conseil, fit McClane en signant le chèque avant de le lui glisser. Ne racontez votre… euh, récent voyage sur Mars à personne.

— Quel voyage ?

— Euh, c'est justement le problème. » McClane s'obstina. « Celui dont vous vous souvenez partiellement. Faites comme si vous ne vous rappeliez plus rien, comme s'il n'avait jamais eu lieu. Ne me demandez pas pourquoi ; suivez mon conseil, croyez-moi : cela vaudra mieux pour tout le monde. » Il s'était mis à transpirer. « Maintenant, Mr Quail, j'ai d'autres affaires en cours, d'autres clients à voir. » Il se leva et accompagna Quail à la porte.

Quail said, as he opened the door, "A firm that turns out such bad work shouldn't have any clients at all." He shut the door behind him.

On the way home in the cab Quail pondered the wording of his letter of complaint to the Better Business Bureau, Terra Division. As soon as he could get to his typewriter he'd get started; it was clearly his duty to warn other people away from Rekal, Incorporated.

When he got back to his conapt he seated himself before his Hermes Rocket portable, opened the drawers and rummaged for carbon paper — and noticed a small, familiar box. A box which he had carefully filled on Mars with Martian fauna and later smuggled through customs.

Opening the box he saw, to his disbelief, six dead maw-worms and several varieties of the unicellular life on which the Martian worms fed. The protozoa were dried-up, dusty, but he recognized them; it had taken him an entire day picking among the vast dark alien boulders to find them. A wonderful, illuminated journey of discovery.

But I didn't go to Mars, he realized.

Yet on the other hand—

En ouvrant la porte, ce dernier déclara : « Une maison qui travaille aussi mal ne devrait pas avoir de clients du tout. » Et il referma la porte derrière lui.

Dans le taxi qui le ramenait chez lui, il rédigea mentalement la lettre de protestation qu'il adresserait à l'Office de protection des consommateurs, section de Terra. Il s'y mettrait dès qu'il aurait accès à sa machine à écrire ; de toute évidence, son devoir était d'alerter les gens afin qu'ils fuient MémoiRe S.A.

Arrivé à son conapt, il s'assit devant son Hermès Rocket portative, fourragea dans les tiroirs jusqu'à trouver du papier carbone... et remarqua une petite boîte qui lui était familière. Une boîte où il avait soigneusement placé, sur Mars, des spécimens de faune martienne que, plus tard, il avait passés en fraude à la douane.

Il y découvrit, incrédule, six ascarides morts et plusieurs variétés de créatures unicellulaires dont se nourrissaient les vers martiens. Des protozoaires desséchés, poussiéreux mais aisément reconnaissables ; il lui avait fallu fouiller une journée entière parmi les gros rochers sombres de Mars pour les trouver. Ç'avait été une merveilleuse expédition remplie de découvertes exaltantes.

Mais je ne suis pas *allé sur Mars*, se dit-il.

Pourtant, d'un autre côté...

Kirsten appeared at the doorway to the room, an armload of pale brown groceries gripped. "Why are you home in the middle of the day?" Her voice, in an eternity of sameness, was accusing.

"*Did I go to Mars?*" he asked her. "You would know."

"No, of course you didn't go to Mars; *you* would know that, I would think. Aren't you always bleating about going?"

He said, "By God, I think I went." After a pause, he added, "And simultaneously I think I didn't go."

"Make up your mind."

"How can I?" He gestured. "I have both memory-tracks grafted inside my head; one is real and one isn't but I can't tell which is which. Why can't I rely on you? They haven't tinkered with you." She could do this much for him at least — even if she never did anything else.

Kirsten said in a level, controlled voice, "Doug, if you don't pull yourself together, we're through. I'm going to leave you."

"I'm in trouble." His voice came out husky and coarse. And shaking. "Probably I'm heading into a psychotic episode; I hope not, but — maybe that's it. It would explain everything, anyhow."

Kirsten apparut dans l'encadrement de la porte, serrant contre elle un sac en papier kraft plein d'articles d'épicerie. « Qu'est-ce que tu fais à la maison au beau milieu de la journée ? » Elle s'exprimait sur le ton accusateur dont elle ne se départait jamais.

« *Suis-je allé sur Mars ?* lui demanda-t-il. Tu es bien placée pour le savoir.

— Bien sûr que non, tu n'es pas allé sur Mars : c'est *toi* qui es bien placé pour le savoir, non ? Tu es tout le temps à pleurnicher que tu veux y aller. »

Il reprit : « Bon Dieu, je crois que j'y suis allé, pourtant. » Au bout d'un moment il ajouta : « Et en même temps, je pense que je n'y suis *pas* allé.

— Décide-toi.

— Comment veux-tu ? » Il fit un geste. « J'ai les deux souvenirs greffés dans la tête ; l'un est vrai mais je ne sais pas lequel. Pourquoi ne puis-je me fier à toi ? Toi, ils ne t'ont pas trafiquée. » Elle pouvait bien lui rendre ce service, elle qui n'avait jamais rien fait.

Kirsten annonça d'une voix égale et posée : « Doug, si tu ne te reprends pas, c'est fini entre nous. Je vais te quitter.

— Je suis dans le pétrin. » Sa voix était altérée, mal assurée. « Peut-être au bord de l'épisode psychotique ; j'espère que non, mais c'est possible. Ça expliquerait bien des choses. »

Setting down the bag of groceries, Kirsten stalked to the closet. "I was not kidding," she said to him quietly. She brought out a coat, got it on, walked back to the door of the conapt. "I'll phone you one of these days soon," she said tonelessly. "This is goodbye, Doug. I hope you pull out of this eventually; I really pray you do. For your sake."

"Wait," he said desperately. "Just tell me and make it absolute; I did go or I didn't — tell me which one." *But they may have altered your memory-track also*, he realized.

The door closed. His wife had left. Finally!

A voice behind him said, "Well, that's that. Now put up your hands, Quail. And also please turn around and face this way."

He turned, instinctively, without raising his hands.

The man who faced him wore the plum uniform of the Interplan Police Agency, and his gun appeared to be UN issue. And, for some odd reason, he seemed familiar to Quail; familiar in a blurred, distorted fashion which he could not pin down. So, jerkily, he raised his hands.

"You remember," the policeman said, "your trip to Mars. We know all your actions today and all your thoughts —

Posant son sac à provisions, Kirsten se dirigea à grandes enjambées vers le placard. « Je ne plaisantais pas », lui dit-elle calmement. Elle sortit un manteau, l'enfila et regagna la porte du conapt. « Je t'appelle un de ces jours, annonça-t-elle d'une voix sans timbre. Adieu, Doug. J'espère que tu finiras par t'en sortir. Je le souhaite de tout cœur ; pour ton bien.

— Attends, implora-t-il désespérément. Dis-moi seulement une chose, et sans me laisser le moindre doute : j'y suis allé ou pas ? Dis-le-moi. » *Mais peut-être ont-ils aussi modifié tes souvenirs à toi,* songea-t-il.

La porte se referma. Sa femme était partie. Enfin !

Alors une voix lança dans son dos : « Voilà qui est fait ; maintenant, les mains en l'air, Quail. Et tournez-vous par ici, s'il vous plaît. »

Il s'exécuta, mais sans lever les mains.

L'homme portait l'uniforme prune de l'Agence de police d'Interplan et son arme semblait être un modèle réglementaire de l'O.N.U. Bizarrement, il ne lui était pas inconnu ; mais il en gardait un souvenir vague, déformé, insaisissable. Il leva des mains tremblantes.

« Vous vous rappelez votre voyage sur Mars, dit le policier. Nous savons ce que vous avez fait aujourd'hui, ce que vous avez pensé...

in particular your very important thoughts on the trip home from Rekal, Incorporated." He explained, "We have a tele-transmitter wired within your skull; it keeps us constantly informed."

A telepathic transmitter; use of a living plasma that had been discovered on Luna. He shuddered with self-aversion. The thing lived inside him, within his own brain, feeding, listening, feeding. But the Interplan police used them; that had come out even in the homeopapes. So this was probably true, dismal as it was.

"Why me?" Quail said huskily. What had he done — or thought? And what did this have to do with Rekal, Incorporated?

"Fundamentally," the Interplan cop said, "this has nothing to do with Rekal; it's between you and us." He tapped his right ear. "I'm still picking up your mentational processes by way of your cephalic transmitter." In the man's ear Quail saw a small white-plastic plug. "So I have to warn you: anything you think may be held against you." He smiled. "Not that it matters now;

en particulier les pensées très importantes qui vous sont venues pendant le trajet de chez MémoiRe S.A., à chez vous. » Il s'expliqua : « Nous vous avons implanté un télétransmetteur dans le crâne ; il nous renseigne en permanence. »

Un émetteur télépathique ! Une application d'un plasma vivant découvert sur Luna. Il frissonna de dégoût envers lui-même. La chose vivait en lui, à l'intérieur de son propre cerveau, elle se nourrissait, écoutait, se nourrissait encore. Mais la police d'Interplan se servait bel et bien de ces créatures, il le savait ; on en avait même parlé dans les homéo-journaux. Sans doute était-ce donc vrai, si affreux que ce fût.

« Pourquoi moi ? » protesta Quail d'une voix éraillée. Qu'avait-il fait — ou pensé ? Et qu'est-ce que tout cela avait à voir avec MémoiRe S.A. ?

« À la base, répondit le flic d'Interplan, cela n'a rien à voir avec MémoiRe ; c'est entre vous et nous. » Il tapota son oreille droite. « Je capte toujours vos processus mentaux *via* le transmetteur encéphalique. » Il portait un petit bouchon en plastique blanc dans l'oreille. « Donc, je dois vous prévenir : tout ce que vous pensez peut être retenu contre vous. » Il sourit. « Mais ça n'a plus d'importance maintenant ;

you've already thought and spoken yourself into oblivion. What's annoying is the fact that under narkidrine at Rekal, Incorporated you told them, their technicians and the owner, Mr McClane, about your trip — where you went, for whom, some of what you did. They're very frightened. They wish they had never laid eyes on you." He added reflectively. "They're right."

Quail said, "I never made any trip. It's a false memory-chain improperly planted in me by McClane's technicians." But then he thought of the box, in his desk drawer, containing the Martian life forms. And the trouble and hardship he had had gathering them. The memory seemed real. And the box of life forms; that certainly was real. Unless McClane had planted it. Perhaps this was one of the "proofs" which McClane had talked gliby about.

The memory of my trip to Mars, he thought, *doesn't convince me — but unfortunately it has convinced the Interplan Police Agency. They think I really went to Mars and they think I at least partially realize it.*

à cause de ce que vous avez pensé, de ce que vous avez exprimé, vous vous êtes d'ores et déjà condamné à l'oubli. Ce qui m'ennuie, c'est que chez MémoiRe S.A., sous l'effet de la narkidrine, vous ayez mentionné votre voyage devant les techniciens et leur patron, McClane ; vous leur avez révélé où vous êtes allé, pour le compte de qui, et — en partie — ce que vous y avez fait. Vous leur avez fait une peur bleue. Ils regrettent amèrement d'avoir fait votre connaissance. » Il ajouta d'un air pensif : « Et ils n'ont pas tort. »

Quail répliqua : « Je n'ai jamais fait ce voyage, ce sont les techniciens de McClane qui m'ont mal implanté une fausse séquence mémorielle. » Puis il repensa à la boîte trouvée dans le tiroir de son bureau, celle qui contenait les formes de vie martiennes. Et au mal qu'il avait eu à les ramasser. Ce souvenir-là semblait bien réel. Pour ce qui était de la boîte, c'était une certitude. À moins que McClane ne l'ait placée chez lui. Peut-être s'agissait-il d'un des fameux « artefacts à conviction » dont il lui avait rebattu les oreilles.

Le souvenir de mon voyage sur Mars me paraît peut-être douteux, songea-t-il, *mais malheureusement la police d'Interplan, elle, est tout à fait convaincue. Pour elle, je suis vraiment allé sur Mars, et elle pense que je m'en rends compte, du moins partiellement.*

"We not only know you went to Mars," the Interplan cop agreed, in answer to his thoughts, "but we know that you now remember enough to be difficult for us. And there's no use expunging your conscious memory of all this, because if we do you'll simply show up at Rekal, Incorporated again and start over. And we can't do anything about McClane and his operation because we have no jurisdiction over anyone except our own people. Anyhow, McClane hasn't committed any crime." He eyed Quail, "Nor, technically, have you. You didn't go to Rekal, Incorporated with the idea of regaining your memory; you went, as we realize, for the usual reason people go there — a love by plain, dull people for adventure." He added, "Unfortunately you're not plain, not dull, and you've already had too much excitement; the last thing in the universe you needed was a course from Rekal, Incorporated. Nothing could have been more lethal for you or for us. And, for that matter, for McClane."

Quail said, "Why is it 'difficult' for you if I remember my trip — my alleged trip — and what I did there?"

« Nous savons non seulement que vous êtes allé sur Mars, confirma le flic d'Interplan, répondant ainsi à ses pensées, mais aussi que vous avez suffisamment recouvré la mémoire pour nous causer des ennuis. Et il ne nous servirait à rien d'effacer cela de votre mémoire consciente : vous retourneriez simplement chez MémoiRe S.A. et tout recommencerait. Et nous ne pouvons rien faire contre eux car notre juridiction ne s'étend qu'à nos propres agents. Quoi qu'il en soit, McClane n'a commis aucun délit. » Il considéra Quail. « D'ailleurs, concrètement, vous non plus. Vous n'êtes pas allé chez MémoiRe S.A. dans le but de recouvrer la mémoire mais, nous le voyons bien, pour la même raison que les autres clients : l'attrait de l'aventure qu'éprouvent les gens ordinaires, dépourvus de talent particulier. » Il ajouta : « Malheureusement, vous n'êtes ni ordinaire ni dénué de talent, et vous avez déjà connu trop de sensations fortes ; un traitement MémoiRe était bien la dernière chose au monde — que dis-je, dans l'univers entier ! — qu'il vous fallait. Rien n'aurait pu vous être plus fatal — à vous et à nous par la même occasion. Sans parler de McClane. »

Quail demanda : « En quoi le souvenir de mon voyage — de ce prétendu voyage — peut-il vous "causer des ennuis" ?

"Because," the Interplan harness bull said, "what you did is not in accord with our great white all-protecting father public image. You did, for us, what we never do. As you'll presently remember — thanks to narkidrine. That box of dead worms and algae has been sitting in your desk drawer for six months, ever since you got back. And at no time have you shown the slightest curiosity about it. We didn't even know you had it until you remembered it on your way home from Rekal; then we came here on the double to look for it." He added, unnecessarily, "Without any luck; there wasn't enough time."

A second Interplan cop joined the first one; the two briefly conferred. Meanwhile, Quail thought rapidly. He did remember more, now; the cop had been right about narkidrine. They — Interplan — probably used it themselves. Probably? He knew darn well they did; he had seen them putting a prisoner on it. Where would *that* be? Somewhere on Terra? More likely on Luna, he decided, viewing the image rising from his highly defective — but rapidly less so — memory.

— C'est que..., expliqua le molosse d'Interplan, vos faits et gestes sur place ne correspondent pas à notre image de marque de père irréprochable, défenseur de la veuve et de l'orphelin. Vous avez accompli pour nous ce que nous ne faisons jamais ; ainsi que vous allez bientôt vous en souvenir — grâce à la narkidrine. Il y a six mois que cette boîte de vers et d'algues morts traîne dans votre tiroir de bureau — depuis votre retour. À aucun moment vous n'avez manifesté la moindre curiosité à son endroit. Nous ne savions même pas que vous l'aviez avant que vous ne vous en souveniez en rentrant de chez MémoiRe ; nous sommes alors venus la chercher en quatrième vitesse. » Il ajouta bien inutilement : « Sans aucune chance de réussir ; nous n'avions pas le temps. »

Un deuxième flic d'Interplan vint rejoindre le premier et ils se consultèrent brièvement. Pendant ce temps, Quail réfléchissait à toute allure. En effet, il se rappelait mieux maintenant ; le flic avait raison pour la narkidrine. À la police on devait s'en servir aussi. Mais non : il savait pertinemment qu'on s'en servait ; il avait vu leurs agents l'utiliser sur un prisonnier. *Où* donc ? Quelque part sur Terra ? Plus vraisemblablement sur Luna, estima-t-il en découvrant la scène qui émergeait de sa mémoire encore très déficiente... mais qui lui revenait de plus en plus vite.

And he remembered something else. Their reason for sending him to Mars; the job he had done.

No wonder they had expunged his memory.

"Oh, God," the first of the two Interplan cops said, breaking off his conversation with his companion. Obviously, he had picked up Quail's thoughts. "Well, this is a far worse problem, now; as bad as it can get." He walked toward Quail, again covering him with his gun. "We've got to kill you," he said. "And right away."

Nervously, his fellow officer said, "Why right away? Can't we simply cart him off to Interplan New York and let them—"

"*He* knows why it has to be right away," the first cop said; he too looked nervous, now, but Quail realized that it was for an entirely different reason. His memory had been brought back almost entirely, now. And he fully understood the officer's tension.

"On Mars," Quail said hoarsely, "I killed a man. After getting past fifteen bodyguards. Some armed with sneaky-pete guns, the way you are." He had been trained, by Interplan, over a five year period to be an assassin. A professional killer. He knew ways to take out armed adversaries...

Alors il se souvint d'autre chose : la raison pour laquelle on l'avait envoyé sur Mars ; la mission qu'il avait accomplie.

Pas étonnant qu'on ait effacé sa mémoire.

« Mon Dieu ! » s'écria le premier des deux flics en interrompant sa conversation avec l'autre. De toute évidence, il avait capté les pensées de Quail. « Les choses se gâtent ; c'est même ce qui pouvait arriver de pire ! » Il s'approcha de Quail en braquant à nouveau son pistolet sur lui. « Nous devons vous tuer, annonça-t-il. Immédiatement. »

Inquiet, son collègue intervint. « Pourquoi immédiatement ? Et si on le transportait simplement à Interplan New York en laissant les autres…

— *Lui* sait bien pourquoi », répliqua le premier flic. À son tour il paraissait nerveux, mais Quail comprit que c'était pour une autre raison. Sa mémoire était maintenant presque entièrement revenue et il comprenait parfaitement l'effroi de l'agent.

« Sur Mars, fit Quail d'une voix rauque, j'ai tué un homme. Après être passé outre à quinze gardes du corps, dont certains équipés de furtidagues comme vous. » Interplan l'avait formé durant cinq ans pour en faire un assassin, un tueur professionnel. Il savait mettre hors de combat les adversaires armés…

such as these two officers; and the one with the ear-receiver knew it, too.

If he moved swiftly enough—

The gun fired. But he had already moved to one side, and at the same time he chopped down the gun-carrying officer. In an instant he had possession of the gun and was covering the other, confused, officer.

"Picked my thoughts up," Quail said, panting for breath. "He knew what I was going to do, but I did it anyhow."

Half sitting up, the injured officer grated, "He won't use that gun on you, Sam; I picked that up, too. He knows he's finished, and he knows we know it, too. Come on, Quail." Laboriously, grunting with pain, he got shakily to his feet. He held out his hand. "The gun," he said to Quail. "You can't use it, and if you turn it over to me I'll guarantee not to kill you; you'll be given a hearing, and someone higher up in Interplan will decide, not me. Maybe they can erase your memory once more, I don't know. But you know the thing I was going to kill you for; I couldn't keep you from remembering it. So my reason for wanting to kill you is in a sense past."

Quail, clutching the gun, bolted from the conapt, sprinted for the elevator.

comme ces deux agents ; et celui à l'écouteur le savait aussi.

S'il agissait assez rapidement…

Le coup de feu partit. Mais il avait déjà fait un bond de côté et, simultanément, du tranchant de la main, assené un coup à l'agent qui tenait le pistolet. En un instant il s'appropria l'arme et tint en respect l'autre agent, hébété.

« Il a capté mes pensées, fit Quail en reprenant son souffle. Il savait ce que j'allais tenter, mais je l'ai fait quand même. »

Tout en essayant de se relever, l'agent blessé dit d'une voix grinçante : « Il ne se servira pas de ce pistolet sur toi, Sam ; ça aussi je le capte. Il sait qu'il est fichu, et il sait aussi que nous le savons. Allons, Quail. » Laborieusement, grognant de douleur, il se remit debout en vacillant et tendit la main. « Le pistolet, intima-t-il à Quail. Vous ne pouvez pas vous en servir, et si vous me le remettez, je vous promets de ne pas vous tuer ; vous serez jugé et c'est quelqu'un de plus haut placé qui statuera. Peut-être pourra-t-on effacer une nouvelle fois votre mémoire ; je ne sais pas. Mais vous, vous *savez* pourquoi j'allais vous tuer ; je ne pouvais pas vous empêcher de vous en souvenir. Aussi, en un sens, je n'ai plus vraiment de raison de vouloir vous tuer. »

Serrant toujours le pistolet, Quail sortit d'un bond du conapt et fonça vers l'ascenseur.

If you follow me, he thought, *I'll kill you. So don't.* He jabbed at the elevator button and, a moment later, the doors slid back.

The police hadn't followed him. Obviously they had picked up his terse, tense thoughts and had decided not to take the chance.

With him inside the elevator descended. He had gotten away — for a time. But what next? Where could he go?

The elevator reached the ground floor; a moment later Quail had joined the mob of peds hurrying along the runnels. His head ached and he felt sick. But at least he had evaded death; they had come very close to shooting him on the spot, back in his own conapt.

And they probably will again, he decided. *When they find me. And with this transmitter inside me, that won't take too long.*

Ironically, he had gotten exactly what he had asked Rekal, Incorporated for. Adventure, peril, Interplan police at work, a secret and dangerous trip to Mars in which his life was at stake — everything he had wanted as a false memory.

The advantages of it being of memory — and nothing more — could now be appreciated.

Si vous me suivez, pensa-t-il, *je vous tuerai.* Il écrasa le bouton d'appel et au bout d'un moment les portes coulissantes s'ouvrirent.

Les policiers ne l'avaient pas suivi. Ils avaient dû capter ses pensées dans toute leur sécheresse, toute leur détermination, et décidé de ne pas courir le risque.

L'ascenseur descendit en l'emmenant dans ses flancs. Il leur avait échappé — pour le moment, mais ensuite ? Où aller ?

L'ascenseur atteignit le rez-de-chaussée. Un instant plus tard Quail se fondait dans la foule des piétons qui se pressaient dans les circuloirs. La tête lui faisait mal et il avait la nausée. Mais au moins avait-il échappé à la mort. Dire qu'ils avaient failli l'abattre sur place, dans son propre conapt !

Et ils recommenceront sans doute, se dit-il, *quand ils me retrouveront. Avec l'émetteur que j'ai dans la tête, ça ne saurait tarder.*

Ironiquement, il avait obtenu exactement ce qu'il avait demandé à MémoiRe S.A. : l'aventure, le risque, la police d'Interplan en action, un voyage secret et dangereux sur Mars qui mettait sa vie en jeu — tout ce qu'il avait souhaité avoir sous forme de faux souvenir.

Si seulement cela pouvait n'être qu'un souvenir, justement…

On a park bench, alone, he sat dully watching a flock of perts : a semi-bird imported from Mars' two moons, capable of soaring flight, even against Earth's huge gravity.

Maybe I can find my way back to Mars, he pondered. But then what? It would be worse on Mars; the political organization whose leader he had assassinated would spot him the moment he stepped from the ship; he would have Interplan and *them* after him, there.

Can you hear me thinking? he wondered. Easy avenue to paranoia; sitting here alone he felt them tuning in on him, monitoring, recording, discussing... He shivered, rose to his feet, walked aimlessly, his hands deep in his pockets. *No matter where I go,* he realized, *you'll always be with me. As long as I have this device inside my head.*

I'll make a deal with you, he thought to himself — and to them. *Can you imprint a false-memory template on me again, as you did before, that I lived an average, routine life, never went to Mars? Never saw an Interplan uniform up close and never handled a gun?*

A voice inside his brain answered, "As has been carefully explained to you: that would not be enough."

Astonished, he halted.

Seul sur un banc de jardin public, il observait, maussade, un groupe de guillerets — un semi-oiseau importé des deux lunes de Mars qui se montrait capable de vol plané en dépit de l'énorme pesanteur terrestre.

Je peux peut-être me débrouiller pour retourner sur Mars, pensa-t-il. Et après ? Non, là-bas ce serait encore pire ; le parti politique dont il avait assassiné le chef le repérerait dès sa descente du vaisseau ; il les aurait *eux* à ses trousses, en plus d'Interplan.

Vous m'entendez penser ? se demandait-il. C'était la porte ouverte à la paranoïa que d'être assis là tout seul à les sentir chercher sa fréquence émettrice, l'espionner, l'enregistrer, discuter son cas... Il frémit puis se releva et se mit à errer sans but, les mains profondément enfoncées dans ses poches. *Où que j'aille,* constata-t-il, *vous serez toujours là avec moi. Tant que j'aurai ce machin dans la tête.*

Je vais vous proposer un marché, se dit-il — et *leur* dit-il. *Pouvez-vous m'imprimer encore une fois une mémomatrice fictive, qui cette fois me fasse croire que j'ai toujours vécu une petite vie tranquille, sans jamais être allé sur Mars ? Que je n'ai jamais vu de près un uniforme d'Interplan, ni tenu un pistolet ?*

Une voix répondit dans sa tête : « Comme on vous l'a clairement expliqué, ce ne serait pas suffisant. »

Stupéfait, il s'immobilisa.

"We formerly communicated with you in this manner," the voice continued. "When you were operating in the field, on Mars. It's been months since we've done it; we assumed, in fact, that we'd never have to do so again. Where are you?"

"Walking," Quail said, "to my death." *By your officers' guns*, he added as an afterthought. "How can you be sure it wouldn't be enough?" he demanded. "Don't the Rekal techniques work?"

"As we said. If you're given a set of standard, average memories you get — restless. You'd inevitably seek out Rekal or one of its competitors again. We can't go through this a second time."

"Suppose," Quail said, "once my authentic memories have been canceled, something more vital than standard memories are implanted. Something which would act to satisfy my craving," he said. "That's been proved; that's probably why you initially hired me. But you ought to be able to come up with something else — something equal. I was the richest man on Terra but I finally gave all my money to educational foundations. Or I was a famous deep-space explorer. Anything of that sort; wouldn't one of those do?"

« Nous avons déjà communiqué avec vous de cette manière, poursuivit la voix. Quand vous opériez sur le terrain, sur Mars. Nous ne l'avons plus fait depuis des mois ; d'ailleurs, nous étions persuadés de ne plus avoir à le faire. Où êtes-vous ?

— Je marche, répondit Quail, vers ma mort. » *Je tomberai sous les balles de vos agents*, épilogua-t-il mentalement. « Comment pouvez-vous être sûrs que ce ne sera pas suffisant ? demanda-t-il. Le procédé MémoiRe ne marche pas ?

— On vous l'a dit : quand on vous dote d'un jeu de souvenirs ordinaires, moyens, cela vous rend... agité. Vous retourneriez immanquablement chez MémoiRe ou un de ses concurrents. Et nous ne tenons pas à ce que ça se reproduise.

— Supposons, avança Quail. Une fois mes vrais souvenirs effacés, on pourrait m'implanter quelque chose de plus important que des souvenirs ordinaires. Une mémoire qui répondrait à mes désirs profonds. Cela a été démontré ; c'est sans doute pourquoi vous m'avez engagé initialement. Mais il vous faudrait trouver une autre solution... quelque chose d'équivalent. Par exemple, j'étais l'homme le plus riche de Terra mais en fin de compte j'ai fait don de ma fortune à des œuvres éducatives. Ou alors j'ai été un célèbre explorateur des lointaines contrées de l'espace. Un truc dans ce genre, non ? »

Silence.

"Try it," he said desperately. "Get some of your top-notch military psychiatrists; explore my mind. Find out what my most expansive daydream is." He tried to think. "Women," he said. "Thousands of them, like Don Juan had. An interplanetary playboy — a mistress in every city on Earth, Luna and Mars. Only I gave that up, out of exhaustion. Please," he begged. "Try it."

"You'd voluntarily surrender, then?" the voice inside his head asked. "If we agreed, to arrange such a solution? *If* it's possible?"

After an interval of hesitation he said, "Yes." *I'll take the risk*, he said to himself, *that you don't simply kill me.*

"You make the first move," the voice said presently. "Turn yourself over to us. And we'll investigate that line of possibility. If we can't do it, however, if your authentic memories begin to crop up again as they've done at this time, then—" There was silence and then the voice finished, "We'll have to destroy you. As you must understand. Well, Quail, you still want to try?"

"Yes," he said. Because the alternative was death now — and for certain.

Silence.

« Pourquoi ne pas tenter le coup ? fit-il, à court d'arguments. Convoquez vos meilleurs psychiatres militaires, explorez mon esprit. Percez à jour mon rêve le plus cher. » Il se creusa la cervelle. « Pourquoi pas des femmes ? suggéra-t-il. Des milliers de femmes, comme Don Juan. Je pourrais être un ex-play-boy interplanétaire, avec une maîtresse dans chaque ville de Terra, Luna, Mars. J'aurais laissé tomber pour cause d'épuisement. Je vous en prie, supplia-t-il. Essayons au moins !

— Dans ce cas, vous vous rendriez de vous-même ? demanda la voix dans sa tête. Si nous acceptions de trouver une solution de ce genre ? En *admettant* que cela soit possible ? »

Après un temps d'hésitation, il répondit : « Oui. » *Je prends le risque,* pensa-t-il, *de croire que vous ne me ferez pas tout bonnement abattre.*

« À vous de faire le premier pas, reprit la voix. Venez vous rendre et nous étudierons les possibilités qui s'offrent à nous. Toutefois, si nous échouons, si vos véritables souvenirs se mettent à réapparaître, comme en ce moment... » Il y eut un silence, puis : « Nous serons forcés de vous supprimer. Vous devez le comprendre. Alors, Quail, vous voulez toujours faire l'essai ?

— Oui », répondit-il. Car l'autre terme de l'alternative était la mort immédiate et certaine.

At least this way he had a chance, slim as it was.

"You present yourself at our main barracks in New York," the voice of the Interplan cop resumed. "At 580 Fifth Avenue, floor twelve. Once you've surrendered yourself, we'll have our psychiatrists begin on you; we'll have personality-profile tests made. We'll attempt to determine your absolute, ultimate fantasy wish — then we'll bring you back to Rekal, Incorporated, here; get them in on it, fulfilling that wish in vicarious surrogate retrospection. And — good luck. We do owe you something; you acted as a capable instrument for us." The voice lacked malice; if anything, they — the organization — felt sympathy toward him.

"Thanks," Quail said. And began searching for robot cab.

"Mr Quail," the stern-faced, elderly Interplan psychiatrist said, "you possess a most interesting wish-fulfillment dream fantasy. Probably nothing such as you consciously entertain or suppose. This is commonly the way; I hope it won't upset you too much to hear about it."

The senior ranking Interplan officer present said briskly,

Au moins de cette façon, il avait une chance, si mince qu'elle fût.

« Présentez-vous au siège new-yorkais, indiqua la voix. 580, Cinquième Avenue, onzième étage. Dès que vous vous serez rendu, nos psychiatres se mettront au travail sur vous ; on vous fera passer des tests de personnalité. On tentera de découvrir votre fantasme fondamental ; ensuite, on vous ramènera ici, chez MémoiRe S.A. ; on les mettra dans le coup afin qu'ils réalisent ce fantasme par substitution rétroactive. Après cela… bonne chance. Nous vous devons bien ça ; vous avez été un précieux instrument, pour nous. » Il n'y avait aucune malveillance dans la voix ; on avait — l'organisation avait — plutôt de la sympathie pour lui.

« Merci », dit Quail.

Sur ce, il se mit à la recherche d'un robot-taxi.

« Mr Quail », expliqua le psychiatre d'Interplan, un homme d'un certain âge à l'expression sévère. « La nature de votre désir-fantasme de base est des plus intéressantes. Et elle n'a sans doute rien à voir avec ce que, consciemment, vous pouvez imaginer ou supposer. C'est généralement le cas et j'espère que cela ne vous troublera pas trop de vous l'entendre révéler. »

Un officier d'Interplan était présent ; il était très haut placé. Il commenta sèchement :

"He better not be too much upset to hear about it, not if he expects not to get shot."

"Unlike the fantasy of wanting to be an Interplan undercover agent," the psychiatrist continued, "which, being relatively speaking a product of maturity, had a certain plausibility to it, this production is a grotesque dream of your childhood; it is no wonder you fail to recall it. Your fantasy is this; you are nine years old, walking alone down a rustic lane. An unfamiliar variety of space vessel from another star system lands directly in front of you. No one on Earth but you, Mr Quail, sees it. The creatures within are very small and helpless, somewhat on the order of field mice, although they are attempting to invade Earth; tens of thousands of other ships will soon be on their way, when this advance party gives the go-ahead signal."

"And I suppose I stop them," Quail said, experiencing a mixture of amusement and disgust. "Single-handed I wipe them out. Probably by stepping on them with my foot."

"No," the psychiatrist said patiently. "You halt the invasion, but not by destroying them.

« Il n'a pas intérêt à être trop troublé s'il ne veut pas y passer.

— Contrairement au fantasme qui consiste à vouloir être un agent secret d'Interplan, continua le psychiatre, fantasme d'ailleurs assez cohérent dans la mesure — relative — où il est le produit d'une certaine maturité, l'aspiration sous-jacente correspond à un rêve saugrenu remontant à votre enfance ; rien d'étonnant, donc, à ce que vous n'en ayez plus souvenir. Votre fantasme est le suivant, Mr Quail : vous avez neuf ans et vous marchez seul sur un chemin de campagne. Une flotte de vaisseaux spatiaux d'un genre inconnu, venus d'une autre galaxie, atterrit juste devant vous. Personne d'autre que vous ne les voit. Les créatures qu'ils renferment sont minuscules, inoffensives, un peu comme des mulots, ce qui ne les empêche pas de vouloir envahir la Terre. Des dizaines de milliers de vaisseaux identiques vont bientôt débarquer, dès que les éclaireurs leur auront donné le feu vert.

— Et j'imagine que je les arrête à moi tout seul, intervint Quail avec un mélange d'amusement et de dégoût. Je les élimine sans aide, sans doute en les écrasant sous mon pied.

— Pas du tout, poursuivit patiemment le psychiatre. Vous empêchez l'invasion, certes, mais pas en les anéantissant.

Instead, you show them kindness and mercy, even though by telepathy — their mode of communication — you know why they have come. They have never seen such humane traits exhibited by any sentient organism, and to show their appreciation they make a covenant with you."

Quail said, "They won't invade Earth as long as I'm alive."

"Exactly." To the Interplan officer the psychiatrist said, "You can see it does fit his personality, despite his feigned scorn."

"So by merely existing," Quail said, feeling a growing pleasure, "by simply being alive, I keep Earth safe from alien rule. I'm in effect, then, the most important person on Terra. Without lifting a finger."

"Yes, indeed, sir," the psychiatrist said. "And this is bedrock in your psyche; this is a life-long childhood fantasy. Which, without depth and drug therapy, you never would have recalled. But it has always existed in you; it went underneath, but never ceased."

To McClane, who sat intently listening, the senior police official said, "Can you implant an extra-factual memory pattern that extreme in him?"

Au lieu de cela, vous faites preuve de bonté et de générosité à leur égard, tout en sachant par télépathie — leur mode de communication — pourquoi ils sont là. N'ayant jamais rencontré d'organisme intelligent manifestant une telle humanité, afin de vous prouver leur gratitude, ils concluent un pacte avec vous. »

Quail compléta : « Ils n'envahiront pas la Terre tant que je serai vivant.

— Exactement. » Le psychiatre s'adressa à l'officier d'Interplan. « Vous voyez, cela correspond à sa personnalité, malgré le mépris qu'il affecte.

— Ainsi, par le simple fait que j'existe, reprit Quail en sentant croître en lui un sentiment de plaisir, que je vis, j'empêche la Terre de tomber sous un joug étranger. Dans ce cas, je suis effectivement la personne la plus importante au monde. Sans lever le petit doigt.

— C'est tout à fait ça, acquiesça le psychiatre. Et le fantasme constitue le pivot même de votre psyché ; c'est un fantasme d'enfance qui vous a marqué pour la vie et que, sans psychothérapie, sans thérapie médicamenteuse, vous ne vous seriez jamais remémoré. Il a toujours été en vous, mais enfoui. »

Le gradé de la police demanda à McClane qui, assis à côté de lui, écoutait attentivement : « Pouvez-vous lui implanter un mémomodèle extra-factuel aussi poussé ?

"We get handed every possible type of wish-fantasy there is," McClane said. "Frankly, I've heard a lot worse than this. Certainly we can handle it. Twenty-four hours from now he won't just *wish* he'd saved Earth; he'll devoutly believe it really happened."

The senior police official said, "You can start the job, then. In preparation we've already once again erased the memory in him of his trip to Mars."

Quail said, "What trip to Mars?"

No one answered him, so reluctantly, he shelved the question. And anyhow a police vehicule had now put in its appearance; he, McClane, and the senior police officer crowded into it, and presently they were on their way to Chicago and Rekal, Incorporated.

"You had better make no errors this time," the police officer said to heavy-set, nervous-looking Quail.

"I can't see what could go wrong," McClane mumbled, perspiring. "This has nothing to do with Mars or Interplan. Single-handedly stopping an invasion of Earth from another star-system." He shook his head at that. "Wow, what a kid dreams up. And by pious virtue, too; not by force.

— On nous présente toutes les formes possibles et imaginables de fantasme, répondit McClane, et franchement, j'ai déjà entendu bien pire. C'est dans nos possibilités. D'ici vingt-quatre heures, il ne se contentera pas seulement de *souhaiter* avoir sauvé la Terre ; il croira dur comme fer qu'il l'a fait. »

L'officier supérieur de la police déclara : « Bon, vous pouvez y aller. En prévision du nouvel implant, nous avons une fois de plus effacé le souvenir de son voyage sur Mars. »

Quail intervint : « Quel voyage sur Mars ? »

Comme personne ne répondait, il renonça à sa question... mais à contrecœur. De toute façon, un véhicule de la police venait de faire son apparition ; McClane, l'officier supérieur et lui s'y tassèrent, et ils prirent la direction de Chicago, et de MémoiRe S.A.

« Attention à ne pas commettre d'erreur cette fois, conseilla l'officier à McClane, qui semblait inquiet.

— Je ne vois pas ce qui pourrait clocher, marmonna ce dernier en transpirant. Cela n'a rien à voir avec Mars ou Interplan cette fois. Empêcher à soi tout seul l'invasion de la Terre par les habitants d'une autre galaxie... » Il secoua la tête. « Dites donc, les gosses ont de ces fantasmes ! Et à force de vertu, par-dessus le marché, pas par la force.

It's sort of quaint." He dabbed at his forehead with a large linen pocket handkerchief.

Nobody said anything.

"In fact," McClane said, "it's touching."

"But arrogant," the police official said starkly. "Inasmuch as when he dies the invasion will resume. No wonder he doesn't recall it; it's the most grandiose fantasy I ever ran across." He eyed Quail with disapproval. "And to think we put this man on our payroll."

When they reached Rekal, Incorporated, the receptionist, Shirley, met them breathlessly in the outer office. "Welcome back, Mr Quail," she fluttered, her melon-shaped breasts — today painted an incandescent orange — bobbing with agitation. "I'm sorry everything worked out so badly before; I'm sure this time it'll go better."

Still repeatedly dabbing at his shiny forehead with his neatly folded Irish linen handkerchief, McClane said, "It better." Moving with rapidity he rounded up Lowe and Keeler, escorted them and Douglas Quail to the work area, and then, with Shirley and the senior police officer, returned to his familiar office. To wait.

Un peu tordu, je trouve. » Il se tamponna le front avec un grand mouchoir en lin.

Personne ne dit rien.

« Dans le fond, ajouta-t-il, c'est touchant.

— Mais présomptueux, rectifia froidement le policier. Dans la mesure où l'invasion reprendra quand il mourra. Pas étonnant qu'il n'en soit pas conscient ; c'est le fantasme le plus extravagant que j'aie jamais rencontré. » Il jeta un regard désapprobateur à Quail. « Quand je pense que ce type émargeait chez nous. »

Arrivés chez MémoiRe S.A., ils furent fiévreusement accueillis par Shirley, la réceptionniste. « Contente de vous revoir, Mr Quail », fit-elle en battant des paupières ; ses seins ronds comme des melons — ce jour-là maquillés en orange lumineux — tressautaient d'émoi. « Je suis navrée que tout se soit si mal passé la dernière fois ; je suis sûre que ça ira bien mieux cette fois-ci. »

McClane, qui continuait à se tamponner machinalement le front avec son mouchoir bien plié, ajouta : « On a intérêt à ce que ça marche, en effet. » Il alla prestement chercher Lowe et Keeler et tous gagnèrent la salle de traitement. Là, il les abandonna et alla attendre dans son bureau en compagnie de Shirley et de l'officier supérieur.

"Do we have a packet made up for this, Mr McClane?" Shirley asked, bumping against him in her agitation, then coloring modestly.

"I think we do." He tried to recall, then gave up and consulted the formal chart. "A combination," he decided aloud, "of packets Eighty-one, Twenty, and Six." From the vault section of the chamber behind his desk he fished out the appropriate packets, carried them to his desk for inspection. "From Eighty-one," he explained, "a magic healing rod given him — the client in question, this time Mr Quail — by the race of beings from another system. A token of their gratitude."

"Does it work?" the police officer asked curiously.

"It did once," McClane explained. "But he, ahem, you see, used it up years ago, healing right and left. Now it's only a memento. But he remembers it working spectacularly." He chuckled, then opened packet Twenty. "Document from the UN Secretary General thanking him for saving Earth; this isn't precisely appropriate, because part of Quail's fantasy is that no one knows of the invasion except himself, but for the sake of verisimilitude we'll throw it in." He inspected packet Six, then. What came from this?

« Avons-nous une pochette adéquate, Mr McClane ? » demanda Shirley qui, dans son agitation, le heurta au passage et rougit pudiquement.

« Il me semble que oui. » Il fouilla dans sa mémoire, puis renonça et consulta le tableau de références. « On va utiliser une combinaison des pochettes Quatre-vingt-un, Vingt et Six », décida-t-il à haute voix. Il rapporta de la chambre forte les pochettes correspondantes et entreprit de les inspecter. « Dans la Quatre-vingt-un, expliqua-t-il, une baguette magique qui guérit les maladies lui a été offerte — je parle du client, en l'occurrence Mr Quail — par des êtres d'une autre galaxie en signe de gratitude.

— Elle marche ? demanda l'officier de police avec curiosité.

— Elle a marché, expliqua McClane. Mais il l'a épuisée il y a bien longtemps en s'en servant pour guérir tout et n'importe quoi. Maintenant, ce n'est plus qu'un souvenir. Mais il se rappelle qu'elle fonctionnait remarquablement. » Il gloussa, puis ouvrit la pochette Vingt. « Un papier du Secrétaire général de l'O.N.U. le remerciant d'avoir sauvé la Terre ; ça ne concorde pas tout à fait car dans le fantasme de Quail personne n'est au courant de l'invasion à part lui, mais on va le rajouter pour faire vraisemblable. » Il examina ensuite la pochette Six. Qu'y avait-il donc là-dedans ?

He couldn't recall; frowning; he dug into the plastic bag as Shirley and the Interplan police officer watched intently.

"Writing," Shirley said. "In a funny language."

"This tells who they were," McClane said, "and where they came from. Including a detailed star map logging their flight here and the system of origin. Of course it's in *their* script, so he can't read it. But he remembers them reading it to him in his own tongue." He placed the three artifacts in the center of the desk. "These should be taken to Quail's conapt," he said to the police officer. "So that when he gets home he'll find them. And it'll confirm his fantasy. SOP — standard operating procedure." He chuckled apprehensively, wondering how matters were going with Lowe and Keeler.

The intercom buzzed. "Mr McClane, I'm sorry to bother you." It was Lowe's voice; he froze as he recognized it, froze and became mute. "But something's come up. Maybe it would be better if you came in here and supervised. Like before, Quail reacted well to the narkidrine; he's unconscious, relaxed and receptive. But—"

McClane sprinted for the work area.

Il ne se souvenait plus ; fronçant les sourcils il plongea la main dans le sachet en plastique sous l'œil attentif de Shirley et du policier.

« Ce sont des inscriptions, dit Shirley. Rédigées dans une drôle de langue.

— Ce document explique qui étaient ces êtres, déclara McClane, et d'où ils venaient. Il y a même une carte stellaire détaillée qui retrace leur trajet jusqu'ici et leur système d'origine. Naturellement, comme c'est écrit dans *leur* langue, il ne peut le déchiffrer. Mais il se souvient qu'ils le lui ont lu dans sa langue à lui. » Il rassembla les trois artefacts au centre de son bureau. « Il faut faire déposer ces objets chez Quail, dit-il au policier. Afin qu'il les trouve en rentrant. Ils confirmeront son fantasme. C'est la P.O.S. — la procédure opératoire standard. » Il eut un petit gloussement nerveux ; il se demandait ce qui se passait du côté de Lowe et Keeler.

À ce moment-là l'intercom bourdonna : « Mr McClane, je suis désolé de vous déranger, mais... » C'était justement Lowe. Pétrifié, McClane resta sans voix. « Il y a un problème. Vous devriez peut-être venir et superviser les opérations. Comme la dernière fois, Quail a bien réagi à la narkidrine ; il est inconscient, détendu, réceptif, mais... »

McClane s'élança vers la salle de traitement.

On a hygienic bed Douglas Quail lay breathing slowly and regularly, eyes half-shut, dimly conscious of those around him.

"We starded interrogating him," Lowe said, white-faced. "To find out exactly when to place the fantasy-memory of him single-handedly having saved Earth. And strangely enough—"

"They told me not to tell," Douglas Quail mumbled in a dull drug-saturated voice. "That was the agreement. I wasn't even supposed to remember. But how could I forget an event like that?"

I guess it would be hard, McClane reflected. *But you did — until now.*

"They even gave me a scroll," Quail mumbled, "of gratitude. I have it hidden in my conapt; I'll show it to you."

To the Interplan officer who had followed after him, McClane said, "Well, I offer the suggestion that you better not kill him. If you do they'll return."

"They also gave me a magic invisible destroying rod," Quail mumbled, eyes totally shut now. "That's how I killed that man on Mars you sent me to take out.

Allongé sur une table d'auscultation, Douglas Quail respirait lentement et régulièrement. Les yeux mi-clos, il était vaguement conscient de ceux qui l'entouraient.

« Nous avons voulu l'interroger, dit Lowe, tout pâle, pour savoir où situer exactement le souvenir-fantasme d'avoir sauvé la Terre à lui seul. Et assez curieusement…

— Ils m'ont demandé de ne rien dire, marmonna Quail d'une voix que le médicament rendait pâteuse. C'était ça, le marché qu'on avait conclu. Je n'étais même pas censé m'en souvenir. Mais comment oublier une chose pareille ? »

Ça ne doit pas être facile, en effet, se dit McClane. *Vous y êtes pourtant parvenu — jusqu'à aujourd'hui.*

« Ils m'ont même remis un parchemin signifiant leur reconnaissance, murmura Quail. Il est caché dans mon conapt ; je vous le montrerai. »

S'adressant à l'officier d'Interplan qui l'avait suivi, McClane déclara : « Ma foi, si je puis me permettre une suggestion, il vaudrait mieux ne pas le tuer. Sinon ils reviendront.

— Ils m'ont aussi donné une baguette magique invisible qui permet d'éliminer n'importe quoi, marmonna Quail dont les yeux étaient à présent hermétiquement clos. C'est avec ça que j'ai tué le type que vous m'aviez envoyé descendre sur Mars.

It's in my drawer along with the box of Martian maw-worms and dried-up plant life."

Wordlessly, the Interplan officer turned and stalked from the work area.

I might as well put those packets of proof-artifacts away, McClane said to himself resignedly. He walked, step by step, back to his office. *Including the citation from the UN Secretary General. After all—*

The real one probably would not be long in coming.

Elle est dans mon tiroir, avec la boîte d'ascarides et de plantes séchées en provenance de Mars. »

Sans mot dire, l'officier d'Interplan tourna les talons et sortit à grands pas.

Je n'ai plus qu'à ranger mes pochettes d'artefacts à conviction, songea McClane avec résignation. Il regagna son bureau à pas comptés. *Y compris les félicitations du Secrétaire général de l'O.N.U. Après tout…*

Les vraies ne tarderaient sans doute pas à arriver.

DU MÊME AUTEUR

Dans la collection Science-Fiction

DANS LE JARDIN ET AUTRES RÉALITÉS DÉVIANTES (nº 220)

LA FILLE AUX CHEVEUX NOIRS (nº 87)

IMMUNITÉS ET AUTRES MIRAGES FUTURS (nº 197)

MINORITY REPORT ET AUTRES RÉCITS (nº 109)

L'ŒIL DE LA SIBYLLE (nº 123)

PAYCHECK ET AUTRES RÉCITS (nº 164)

SOUVENIR (nº 143)

SUBSTANCE MORT (nº 25)

LA TRILOGIE DIVINE :

RADIO LIBRE À ALBEMUTH. PRÉLUDE À LA TRILOGIE DIVINE (nº 237)

I. SIVA (nº 241)

II. L'INVASION DIVINE (nº 249)

III. LA TRANSMIGRATION DE TIMOTHY ARCHER (nº 255)

UN VAISSEAU FABULEUX ET AUTRES VOYAGES GALACTIQUES (nº 213)

LE VOYAGE GELÉ (nº 160)

Dans la collection Folio 2 €

CE QUE DISENT LES MORTS (nº 4389)

DANS LA MÊME COLLECTION

ANGLAIS

BARNES *Letters from London (selected letters)* / Lettres de Londres (choix)
CAPOTE *One Christmas / The Thanksgiving visitor* / Un Noël / L'invité d'un jour
CAPOTE *Breakfast at Tiffany's* / Petit déjeuner chez Tiffany
CAPOTE *Music for Chameleons* / Musique pour caméléons
COLLECTIF (Fitzgerald, Miller) Charyn *New York Stories* / Nouvelles new-yorkaises
COLLECTIF (Martin Amis, Graham Swift, Ian McEwan) *Contemporary English Stories* / Nouvelles anglaises contemporaines
CONAN DOYLE *Silver Blaze and other adventures of Sherlock Holmes* / Étoile d'argent et autres aventures de Sherlock Holmes
CONAN DOYLE *The Man with the Twisted Lip and other adventures of Sherlock Holmes* / L'homme à la lèvre tordue et autres aventures de Sherlock Holmes
CONRAD *Gaspar Ruiz* / Gaspar Ruiz
CONRAD *Heart of Darkness* / Au cœur des ténèbres
CONRAD *The Duel* / Le duel
CONRAD *The Secret Sharer* / Le Compagnon secret
CONRAD *Typhoon* / Typhon
CONRAD *Youth* / Jeunesse
DAHL *The Great Switcheroo / The Last Act* / La grande entourloupe / Le dernier acte
DAHL *The Princess and the Poacher / Princess Mammalia* / La Princesse et le braconnier / La Princesse Mammalia
DAHL *The Umbrella Man and other stories* / L'homme au parapluie et autres nouvelles
DICK *Minority Report / We Can Remember It for You Wholesale* / Rapport minoritaire / Souvenirs à vendre
DICKENS *A Christmas Carol* / Un chant de Noël
DICKENS *The Cricket on the Hearth* / Le grillon du foyer
FAULKNER *A Rose for Emily / That Evening Sun / Dry September* / Une rose pour Emily / Soleil couchant / Septembre ardent
FAULKNER *As I lay dying* / Tandis que j'agonise
FAULKNER *The Wishing Tree* / L'Arbre aux Souhaits
FITZGERALD *Tales of the Jazz Age (selected stories)* / Les enfants du jazz (choix)

FITZGERALD *The Crack-Up and other short stories* / La fêlure et autres nouvelles
HARDY *Two Stories from Wessex Tales* / Deux contes du Wessex
HEMINGWAY *Fifty Grand and other short stories* / Cinquante mille dollars et autres nouvelles
HEMINGWAY *The Northern Woods* / Les forêts du Nord
HEMINGWAY *The Snows of Kilimanjaro and other short stories* / Les neiges du Kilimandjaro et autres nouvelles
HEMINGWAY *The Old Man and the Sea* / Le vieil homme et la mer
HIGGINS *Harold and Maude* / Harold et Maude
JAMES *Daisy Miller* / Daisy Miller
JAMES *The Birthplace* / La Maison natale
JAMES *The last of the Valerii* / Le dernier des Valerii
KEROUAC *Lonesome Traveler (selected stories)* / Le vagabond solitaire (choix)
KEROUAC *Satori in Paris* / Satori à Paris
KIPLING *Stalky and Co.* / Stalky et Cie
KIPLING *Wee Willie Winkie* / Wee Willie Winkie
LAWRENCE *Daughters of the Vicar* / Les filles du pasteur
LAWRENCE *The Virgin and the Gipsy* / La vierge et le gitan
LONDON *The Call of the Wild* / L'appel de la forêt
LONDON *The Son of the Wolf and other tales of the Far North* / Le Fils du Loup et autres nouvelles du Grand Nord
LOVECRAFT *The Dunwich Horror* / L'horreur de Dunwich
MANSFIELD *The Garden Party and other stories* / La garden-party et autres nouvelles
MELVILLE *Benito Cereno* / Benito Cereno
MELVILLE *Bartleby the Scrivener* / Bartleby le scribe
ORWELL *Animal Farm* / La ferme des animaux
POE *Mystification and other tales* / Mystification et autres contes
POE *The Murders in the Rue Morgue and other tales* / Double assassinat dans la rue Morgue et autres histoires
RENDELL *The Strawberry Tree* / L'Arbousier
SHAKESPEARE *Famous scenes* / Scènes célèbres
STEINBECK *The Pearl* / La perle
STEINBECK *The Red Pony*/ Le poney rouge
STEVENSON *The Rajah's Diamond* / Le diamant du rajah
STEVENSON *The strange case of Dr Jekyll and Mr Hyde* / L'étrange cas du Dr Jekyll et M. Hyde
STYRON *Darkness Visible / A Memoir of Madness* / Face aux ténèbres / Chronique d'une folie

SWIFT *A voyage to Lilliput* / Voyage à Lilliput
TWAIN *Is he living or is he dead ? and other short stories* / Est-il vivant ou est-il mort ? et autres nouvelles
UHLMAN *Reunion* / L'ami retrouvé
WELLS *The Country of the Blind and other tales of anticipation* / Le Pays des Aveugles et autres récits d'anticipation
WELLS *The Time Machine* / La Machine à explorer le temps
WILDE *A House of Pomegranates* / Une maison de grenades
WILDE *The Portrait of Mr. W. H.* / Le portrait de Mr. W. H.
WILDE *Lord Arthur Savile's crime* / Le crime de Lord Arthur Savile
WILDE *The Canterville Ghost and other short fictions* / Le Fantôme des Canterville et autres contes

ALLEMAND

ANONYME *Wunderbare Reisen des Freiherrn von Münchhausen* / Les merveilleux voyages du baron de Münchhausen
BERNHARD *Der Stimmenimitator (Auswahl)* / L'imitateur (choix)
BÖLL *Der Zug war pünktlich* / Le train était à l'heure
CHAMISSO *Peter Schlemihls wundersame Geschichte* / L'étrange histoire de Peter Schlemihl
EICHENDORFF *Aus dem Leben eines Taugenichts* / Scènes de la vie d'un propre à rien
FREUD *Selbstdarstellung* / Sigmund Freud présenté par lui-même
FREUD *Die Frage der Laienanalyse* / La question de l'analyse profane
FREUD *Das Unheimliche und andere Texte* / L'inquiétante étrangeté et autres textes
FREUD *Eine Kindheitserinnerung des Leonardo da Vinci* / Un souvenir d'enfance de Léonard de Vinci
GOETHE *Die Leiden des jungen Werther* / Les souffrances du jeune Werther
GOETHE *Faust* / Faust
GRIMM *Märchen* / Contes
GRIMM *Das blaue Licht und andere Märchen* / La lumière bleue et autres contes
HANDKE *Die Lehre der Sainte-Victoire* / La leçon de la Sainte-Victoire
HANDKE *Kindergeschichte* / Histoire d'enfant
HANDKE *Lucie im Wald mit den Dingsdda* / Lucie dans la forêt avec les trucs-machins

HOFFMANN *Der Sandmann* / Le marchand de sable
HOFMANNSTHAL *Andreas* / Andréas
KAFKA *Die Verwandlung* / La métamorphose
KAFKA *Brief an den Vater* / Lettre au père
KAFKA *Ein Landarzt und andere Erzählungen* / Un médecin de campagne et autres récits
KAFKA *Beschreibung eines Kampfes* / *Forschungen eines Hundes* / Description d'un combat / Les recherches d'un chien
KLEIST *Die Marquise von O...* / *Der Zweikampf* / La marquise d'O... / Le duel
KLEIST *Die Verlobung in St. Domingo* / *Der Findling* / Fiançailles à Saint-Domingue / L'enfant trouvé
MANN *Tonio Kröger* / Tonio Kröger
MORIKE *Mozart auf der Reise nach Prag* / Un voyage de Mozart à Prague
RILKE *Geschichten vom lieben Gott* / Histoires du Bon Dieu
RILKE *Zwei Prager Geschichten* / Deux histoires pragoises
SCHLINK *Der Andere* / L'autre
WALSER *Der Spaziergang* / La promenade

RUSSE

BABEL *Одесскне рассказы* / Contes d'Odessa
BOULGAKOV *Роковые яица* / Les Œufs du Destin
DOSTOÏEVSKI *Записки из подполья* / Carnets du sous-sol
DOSTOÏEVSKI *Кроткая* / *Сон смешного человека* / Douce / Le songe d'un homme ridicule
GOGOL *Записки сумасшедшего* / *Нос* / *Шинель* / Le journal d'un fou / Le nez / Le manteau
GOGOL *Портрет* / Le portrait
GORKI *Мой спутник* / Mon compagnon
KAZAKOV *На полустанке и другие рассказы* / La petite gare et autres récits
LERMONTOV *Герой нашего времени* / Un héros de notre temps
OULITSKAÏA *Сонечка* / Sonietchka
POUCHKINE *Пиковая дама* / La Dame de pique
POUCHKINE *Дубровского* / Doubrovski
TCHEKHOV *Дама с собачкой* / *Архиерей* / *Невеста* / La dame au petit chien / L'évêque / La fiancée

TCHEKHOV *Палата N° 6* / Salle 6
TOLSTOÏ *Дьявол* / Le Diable
TOLSTOÏ *Смерть Ивана Ильича* / La Mort d'Ivan Ilitch
TOLSTOÏ *Крейцерова соната* / La sonate à Kreutzer
TOURGUENIEV *Первая любовь* / Premier amour
TOURGUENIEV *Часы* / La montre
TYNIANOV *Подпоручик Киже* / Le lieutenant Kijé

ITALIEN

BARICCO *Novecento. Un monologo* / Novecento : pianiste. Un monologue
BASSANI *Gli occhiali d'oro* / Les lunettes d'or
BOCCACE *Decameron, nove novelle d'amore* / Décameron, neuf nouvelles d'amour
CALVINO *Fiabe italiane* / Contes italiens
D'ANNUNZIO *Il Traghettatore ed altre novelle della Pescara* / Le passeur et autres nouvelles de la Pescara
DANTE *Divina Commedia* / La Divine Comédie (extraits)
DANTE *Vita Nuova* / Vie nouvelle
GOLDONI *La Locandiera* / La Locandiera
GOLDONI *La Bottega del caffè* / Le Café
MACHIAVEL *Il Principe* / Le Prince
MALAPARTE *Il Sole è cieco* / Le Soleil est aveugle
MORANTE *Lo scialle andaluso ed altre novelle* / Le châle andalou et autres nouvelles
MORAVIA *L'amore conjugale* / L'amour conjugal
PASOLINI *Racconti romani* / Nouvelles romaines
PAVESE *La bella estate* / Le bel été
PAVESE *La spiaggia* / La plage
PIRANDELLO *Novelle per un anno I (scelta)* / Nouvelles pour une année I (choix)
PIRANDELLO *Novelle per un anno II (scelta)* / Nouvelles pour une année II (choix)
PIRANDELLO *Sei personaggi in cerca d'autore* / Six personnages en quête d'auteur
PIRANDELLO *Vestire gli ignudi* / Vêtir ceux qui sont nus

SCIASCIA *Il contesto* / Le contexte
SVEVO *Corto viaggio sentimentale* / Court voyage sentimental
VASARI/CELLINI *Vite di artisti* / Vies d'artistes
VERGA *Cavalleria rusticana ed altre novelle* / Cavalleria rusticana et autres nouvelles

ESPAGNOL

ASTURIAS *Leyendas de Guatemala* / Légendes du Guatemala
BORGES *El libro de arena* / Le livre de sable
BORGES *Ficciones* / Fictions
CALDERÓN DE LA BARCA *La vida es sueño* / La vie est un songe
CARPENTIER *Concierto barroco* / Concert baroque
CARPENTIER *Guerra del tiempo* / Guerre du temps
CERVANTES *Novelas ejemplares (selección)* / Nouvelles exemplaires (choix)
CERVANTES *El amante liberal* / L'amant généreux
CERVANTES *El celoso extremeño* / *Las dos doncellas* / Le Jaloux d'Estrémadure / Les Deux Jeunes Filles
COLLECTIF (Fuentes, Pitol, Rossi) *Escritores mexicanos* / Écrivains mexicains
CORTÁZAR *Historias inéditas de Gabriel Medrano* / Histoires de Gabriel Medrano
CORTÁZAR *Las armas secretas* / Les armes secrètes
CORTÁZAR *Queremos tanto a Glenda (selección)* / Nous l'aimions tant, Glenda (choix)
FUENTES *Las dos orillas* / Les deux rives
FUENTES *Los huos del conquistador* / Les fils du conquistador
GARCIA LORCA *Mi pueblo y otros escritos* / Mon village et autres textes
RULFO *El Llano en llamas (selección)* / Le Llano en flammes (choix)
UNAMUNO *Cuentos (selección)* / Contes (choix)
VARGAS LLOSA *Los cachorros* / *Les chiots*

PORTUGAIS

EÇA DE QUEIROZ *Singularidades de uma rapariga loira* / Une singulière jeune fille blonde
MACHADO DE ASSIS *O alienista* / L'aliéniste

Impression CPI Bussière
à Saint-Amand (Cher),
le 6 mai 2009.
Dépôt légal : mai 2009.
Numéro d'imprimeur : 091445/1.
ISBN 978-2-07-039931-4./Imprimé en France.